Curs
de
limba română

Editura didactică și pedagogică
București — 1971

Oltea Delarăscruci

Curs de
limba română

a romanian course for beginners

(manual pentru începători)

(book one)

Referenţi: VALERIA GUŢU-ROMALO
MIRA STOICULESCU

English text by MARIA ILIESCU

Apărut prin grija Ministerului Afacerilor Externe

The first volume of the Romanian Course is intended especially for children and young people who want to learn the Romanian language by themselves or under the guidance of a teacher.

The first part contains exercises of correct pronunciation of the sounds of the Romanian language, first the vowels and then the consonants.

This part contains exercises of spelling, too.

As we addressed our course to beginners only, we have laid stress upon the assimilation of a minimal vocabulary and upon acquiring the habit of joining the words into sentences aiming at conversational purposes.

For helping those who will learn Romanian by themselves we have put in many pictures and recorded texts. The pictures will come to associate the words with the objects, and the record will give a correct pronunciation.

As the two languages, Romanian and English, are obviously different regarding both pronunciation and stress, the record is most necessary for checking up the word and sentence stress. The stressed vowel is represented by black typed letters.

The second part of the book contains short dialogues introducing the usual everyday language, that all courses of foreign languages begin with.

Each text is followed by vocabulary and exercises.

Some of the exercises help to consolidate the pronunciation of the sounds, others help to enrich the vocabulary and others help to introduce the new vocabulary into sentences.

There are also grammar exercises. These exercises help the student to become more familiar with some rudiments of grammar which are necessary for a correct use of the language and which are far from being complete definitions. The second volume will contain more rudiments of grammar.

Because we did not want to cause the beginner any difficulty in assimilating the Romanian language we did not introduce literary texts. The first contact with the language of the literary works will be made in the second volume of the course.

To make selfteaching easier we have included the solutions to some more difficult exercises at the end of the book.

Unlike English, which makes use of the etimological spelling, Romanian makes use of the phonetic spelling. That makes pronunciation and reading easier.

The vocabulary and some grammar forms of the Romanian language, which is a Latin language having much in common with French, Italian and Spanish, might seem very difficult to the English speaking people. That is why, in this volume we have laid particular stress on acquiring a minimal vocabulary, quite necessary in everyday talks.

The Author

Alfabetul limbii române

You write the alphabet in this way:			In words you read the letters in this way:
a	A	(a)	abac (abacus)
ă	Ă	(ă)	cabană (shelter)
â	Â	(â)	român (Romanian)
b	B	(be)	balon (balloon)
c	C	(ce)	casă (house)
d	D	(de)	dig (dam)
e	E	(e)	elev (pupil)
f	F	(fe)	fabrică (factory)
g	G	(ghe)	garaj (garage)
h	H	(ha)	harpă (harp)
i	I	(i)	inimă (heart)
î	Î	(î)	mînă (hand)
j	J	(je)	jurnal (journal)
k	K	(ka)	kilogram (kilogram)
l	L	(le)	lună (moon)
m	M	(me)	metru (metre)
n	N	(ne)	nufăr (water-lily)
o	O	(o)	os (bone)
p	P	(pe)	pian (piano)

You write the alphabet in this way:			In words you read the letters in this way:
r	R	(re)	**r**adio (radio)
s	S	(se)	**s**caun (chair)
ș	Ș	(șe)	**ș**osete (socks)
t	T	(te)	**t**opor (axe)
ț	Ț	(țe)	**ț**igări (cigarettes)
u	U	(u)	**u**măr (shoulder)
v	V	(ve)	**v**ară (summer)
x	X	(ics)	**x**ilofon (xylophone)
z	Z	(ze)	**z**ero (zero)

Sunetele sînt (The sounds are):

Vocale (vowels): a, ă, e, i, î, o, u.

Consoane (consonants): b, c, d, f, g, h, j, k, l, m, n, p, r, s, ș, t, ț, v, x, z.

Vocalele

Citiți pe silabe. Pronunțați corect vocalele! Ascultați discul! (Read by syllables. Pronounce the vowels correctly. Listen to the record!).

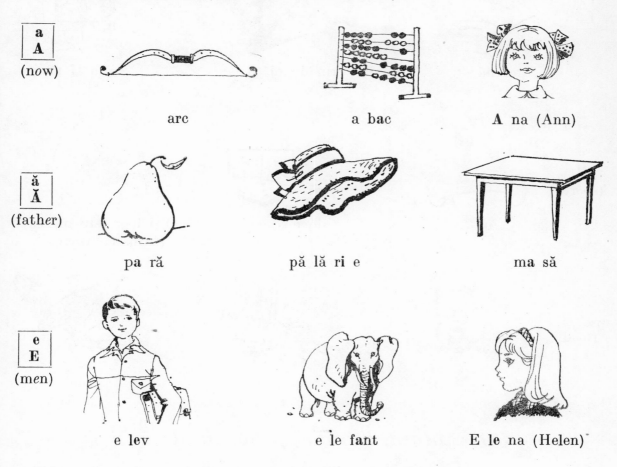

a **A** (n*o*w)	arc	a bac	A na (Ann)
ă **Ă** (father)	pa ră	pă lă ri e	ma să
e **E** (men)	e lev	e le fant	E le na (Helen)

Scrieți (Write!): *arc, pălărie, Ana, Elena*

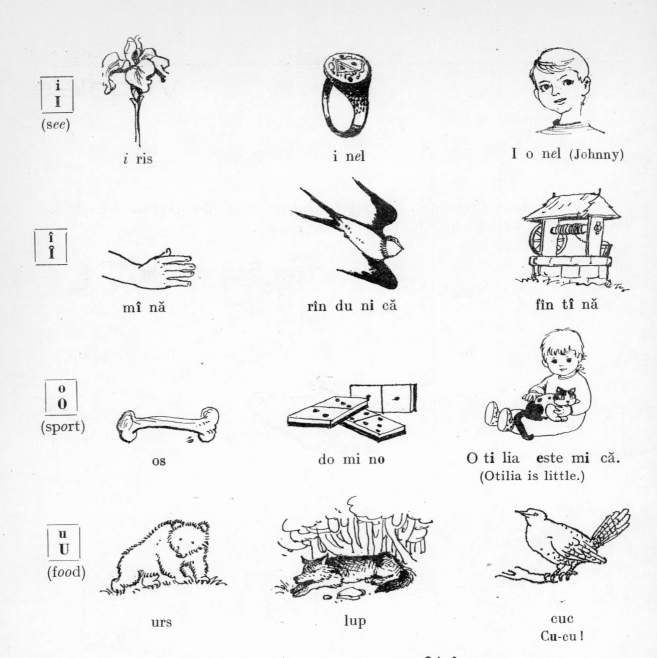

i I (see)	*i* ris	i nel	I o nel (Johnny)
î Î	mî nă	rîn du ni că	fîn tî nă
o O (sport)	os	do mi no	O ti lia este mi că. (Otilia is little.)
u U (food)	urs	lup	cuc Cu-cu!

Scrieţi: *iris, mînă, domino, urs, Otilia*

Sunetul î nu are corespondent în limba engleză.

(The sound î has no correspondent in English).

10

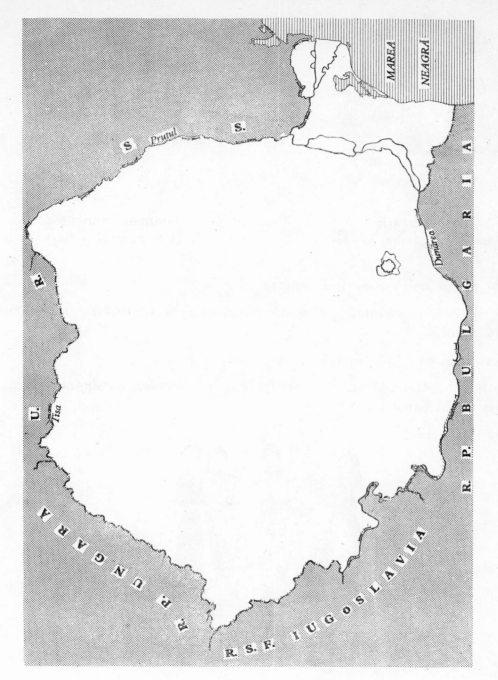

România

România este patria românilor. Românii vorbesc limba română.
(Romania is the motherland of the Romanians. The Romanians speak Romanian).

Stema ţării
(The Arms of the country)

Drapelul românesc
(The Romanian flag)

Literele **î** şi **â** notează acelaşi sunet: | **î** |

Scriem litera **â** în cuvintele : *România, români, română, românesc*, şi alte cuvinte din această familie.

(The letters **î** and **â** indicate the same sound: | **î** |

We write the letter „**â**" in the words: *România, români, română, românesc*, and other words of the same family).

Citiţi! (Read!)

a	alfabet, (alphabet)	cap, (head)	tata, (father)	mama (mother)
ă	casă, (house)	masă, (table)	bancă, (bench)	supă (soup)
î â	rîde, (he laughs)	cîntă, (he sings)	rîndunică, (swallow)	român (Romanian)
e	pere, (pears)	camere, (rooms)	litere, (letters)	vocale (vowels)
i	inimă, (heart)	imediat, (immediately)	literă, (letter)	ilustrate (post-cards)
o	soră, (sister)	covor, (carpet)	dormitor, (bedroom)	doctor (physician)
u	unt, (butter)	lună, (moon)	munte, (mountain)	dulap (sideboard)

Scrieţi litera care lipseşte! (Fill in the missing letter!)

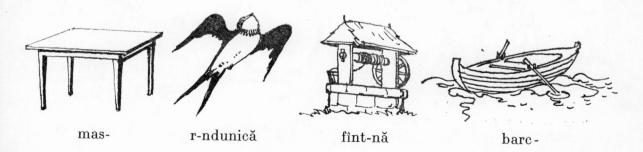

mas-   r-ndunică   fînt-nă   barc-

Consoanele

Ascultați discul! Citiți și pronunțați corect consoanele! (Listen to the record! Read and pronounce the consonants correctly!)

b B (*ball*)

bar că · bar bă · Bar bu

c C (*school*)

ca ba nă · ca mi on · cos mo na ut

ce (*check*)

ce ta te · cerc · cer cel

Scrieți: `barbă, cabană, cetate, Barbu`

14

ci (ma*tch*)

ci re şe

ci clist

bi ci cle tă

d D (*d*ress)

dan sa tor

ra di o

Dan cîn tă.
(Dan is singing.)

f F (*f*ind)

far fu ri e

fa bri că

Flo rin scri e.
(Florin is writing.)

g G (*g*ot)

glob

o glin dă

Gri go re rî de.
(Gregory is laughing.)

Scrieţi: *cireşe, dansator, glob, farfurie*

ge
(James)

de ge te

min ge

Ge ta plînge.
(Geta is crying.)

gi
(gin)

gi ra fă

fri gi der

Gi gel fa ce gim nas ti că.
(Gigel is doing gymnastics.)

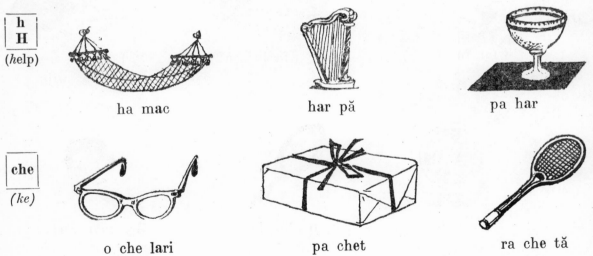

h
H
(help)

ha mac

har pă

pa har

che
(ke)

o che lari

pa chet

ra che tă

Scrieți: minge, girafă, hamac, ochelari

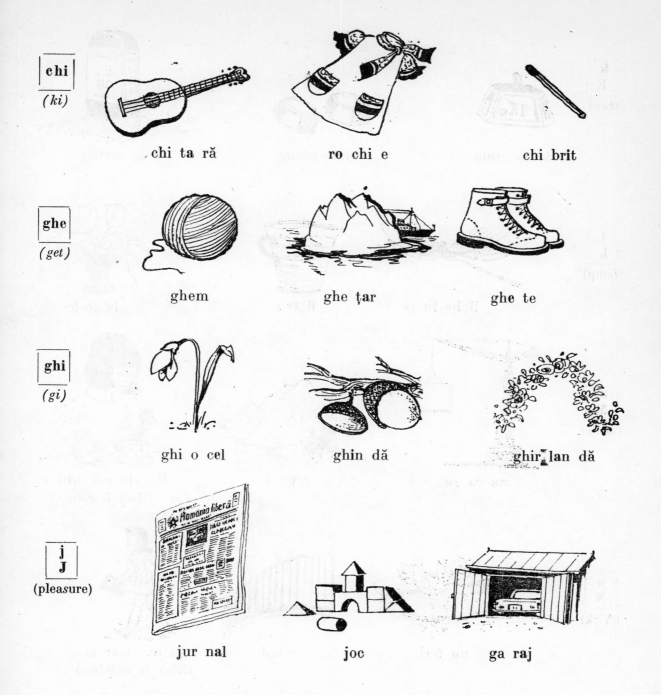

chi (ki)

chi ta ră   ro chi e   chi brit

ghe (get)

ghem   ghe ţar   ghe te

ghi (gi)

ghi o cel   ghin dă   ghir lan dă

j J (pleasure)

jur nal   joc   ga raj

Scrieţi: chitară, ghem, ghindă, jurnal

k K
(*k*ey)

ki lo gram

ki lo grame

ki lo metru

l L
(*l*amp)

li be **lu** lă

li tru

la le le

m M
(*m*oon)

ma ca ra

mun te

Ma ria mă nîn că.
(Mary is eating.)

n N
(*N*ick)

nu feri

nai

Ni na mer ge.
(Nina is walking.)

Scrieţi: **kilogram, litru, munte, nai**

18

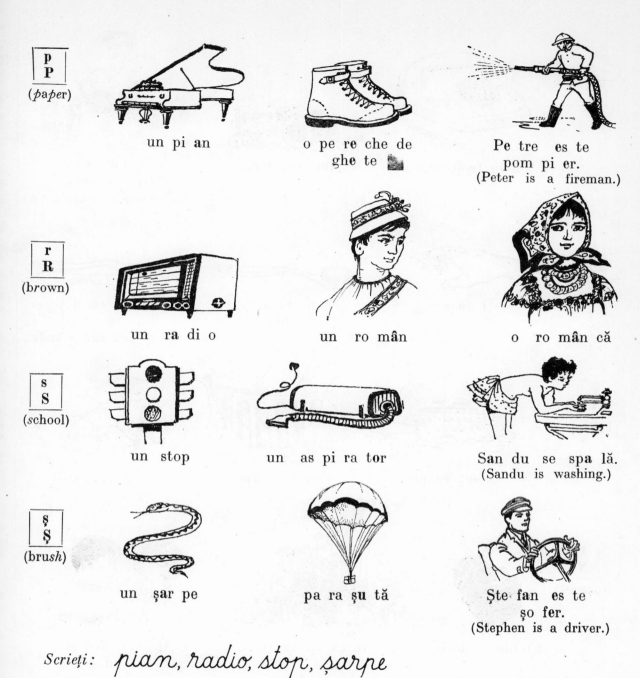

p P
(*paper*)

un pi an

o pe re che de ghe te

Pe tre es te pom pi er.
(Peter is a fireman.)

r R
(*brown*)

un ra di o

un ro mân

o ro mân că

s S
(*school*)

un stop

un as pi ra tor

San du se spa lă.
(Sandu is washing.)

ş Ş
(*brush*)

un şar pe

pa ra şu tă

Şte fan es te şo fer.
(Stephen is a driver.)

Scrieţi: pian, radio, stop, şarpe

Vocabular (Vocabulary)

$un =$ } a, an
$o \;\;=$

t T
(time)

un te le fon

un trac tor.

Tu dor es te
trac to rist.
(Tudor is a tractor-driver.)

ţ Ţ
(wha*t's*)

o ţi ga ră

o pe ri **u** ţă
de dinţi

o fur cu li ţă și
un cu ţit
(a fork and a knife)

v V
(Victor)

un va por.

un vi a duct

o vul pe

x X
(e*x*ercise)

o mă **nu** șă de box

un ex ca va tor.

Ale xan dru și
Xe ni a

Scrieţi: telefon, ţigară, vapor, excavator

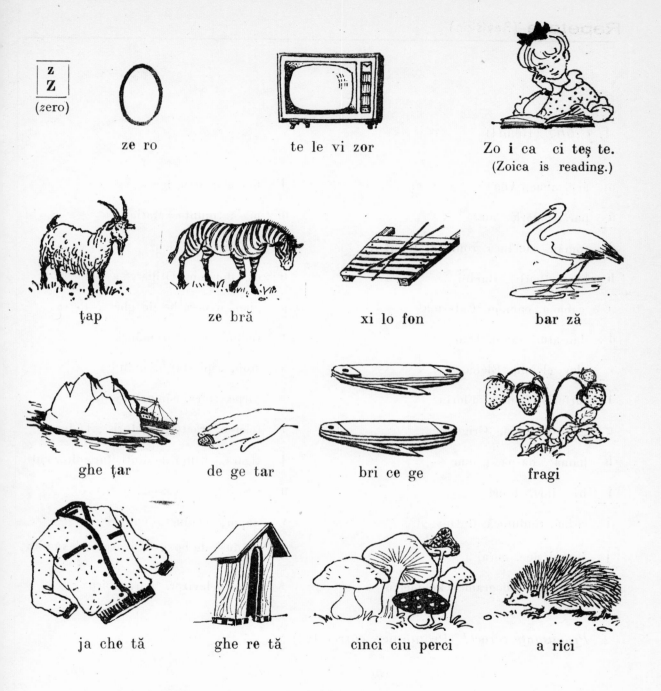

Z
Z
(zero)

ze ro

te le vi zor

Zo **i** ca ci teş te.
(Zoica is reading.)

ţap

ze bră

xi lo fon

bar ză

ghe ţar

de ge tar

bri ce ge

fragi

ja che tă

ghe re tă

cinci ciu perci

a rici

Scrieţi: zero, televizor, Zoica citeşte

Repetare (Revision)

1. *Citiți!* (Read!)

a	arc, abac, Ana		**l**	libelulă, litru, lalele
ă	pară, pălărie, masă		**m**	masă, munte, Maria
â	român, româncă, română, România		**n**	nuferi, nai, Nicu
b	barcă, barbă, Barbu		**o**	os, domino, Otilia
c	cabană, camion, Caterina		**p**	pian, o pereche de ghete, Petre
d	dansator, radio, Dan		**r**	radio, român, româncă
e	elev, elefant, Elena		**s**	stop, aspirator, Sandu
f	farfurie, fabrică, Florin		**ș**	șarpe, șofer, cămașă, Ștefan
g	glob, oglindă, Grigore		**t**	telefon, tractor, tractorist, Tudor
h	hamac, harpă, pahar		**ț**	țigară, periuță de dinți, furculiță, cuțit
i	iris, inel, Ionel		**u**	urs, lup, cuc, Cu-cu!
î	mînă, rîndunică, fîntînă		**v**	vapor, viaduct, vulpe
j	jurnal, joc, garaj		**x**	mănușă de box, excavator, Alexandru, Xenia
k	kilogram, kilograme, kilometru		**z**	zero, televizor, ziar, Zoica

2. *Pronunțați corect!* (Pronounce correctly!)

ce	*ci*	*che*	*chi*	*ghe*	*ghi*
cetate	cireșe	rachetă	chitară	ghem	ghirlandă
cerc	ciclist	ochelari	chibrit	ghețar	ghiocel

3. *Înlocuiți linia cu grupul de litere care lipsește!* (Fill in the blanks with the missing groups of letters!)

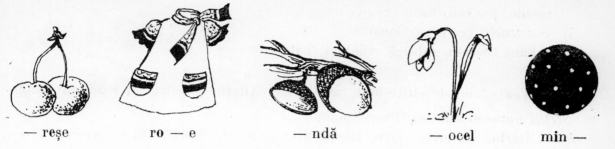

— reșe   ro — e   — ndă   — ocel   min —

4. *Înlocuiți liniuța cu litera care lipsește!*
   mas—, bar—, bar—ă, in—mă.

5. *Înlocuiți liniuța cu silaba care lipsește!*
   la—le ra—o, că—șă, uzi—, te— fon

6. *Înlocuiți liniuța cu litera î sau â:*
   r—ndunică, rom—n, Rom—nia, m—nă

7. *Citiți nume de:*
   a) *persoane* (persons)
      român, româncă, dansator, elev, vînător
      pompier, șofer, tractorist, ciclist;

   b) *animale* (animals)
      girafă, zebră, urs, lup

   c) *păsări* (birds)
      cuc, rîndunică

   d) *fructe* (fruits)
      pară, măr, cireșe;

   e) *plante și flori* (plants and flowers)
      iris, nuferi, ghiocel, lalele;

   f) *unelte și mașini* (tools and machines)
      tractor, excavator;

   g) *mijloace de transport* (means of conveyance)
      barcă, vapor, avion, bicicletă;

23

h) *lucruri diferite* (various things)

masă, farfurie, scaun, covor, umbrelă, furculiţă, cuţit, paraşută, ghete, rochie, pantofi, radio, televizor;

i) *construcţii* (constructions)

cabană, cetate, fabrică, viaduct, uzină

Toate numele citite sînt *substantive* (All the words you read are nouns).

8. *Scrieţi nume de oameni* (Proper names)

Ana, Barbu, Caterina, Dan, Elena, Horia, Ionel, Maria, Nicu, Viorel, Zoica, Gelu, Ştefan, Otilia, Petre

9. *Găsiţi substantive care încep cu litera* e *!* (Find nouns beginning with the letter e!)

10. *Găsiţi substantive care se termină cu vocala* ă *!* (Find nouns ending in the vowel ă!)

11. *Găsiţi substantive care se termină cu consoana* r *!*

12. *Găsiţi substantive în care se aude vocala* i *!* (Find nouns in which you hear the vowel i!)

13. *Găsiţi substantive în care se aude vocala* u *!*

14. *Ce face Lenuţa?*

Ce face Nicuşor?

Lenuţa deschide uşa.

Nicuşor închide uşa.

Întrebaţi! (Ask!)

Cine deschide uşa?
Cine închide uşa?
Ce deschide Lenuţa?
Ce închide Nicuşor?

Răspundeţi! (Answer!)

Lenuţa deschide uşa.
Nicuşor închide uşa.
Deschide uşa.
Închide uşa.

| *Cine?* = Who? *Ce?* = What? |

Hora de Theodor Aman

15. *Traduceți în limba engleză!* (Translate into English!)

Otilia este mică.

Florin scrie.

Grigore rîde.

Geta plînge.

Maria mănîncă.

Nina merge.

Zoica citește.

Gigel face gimnastică.

Sandu se spală.

Rodica este româncă.

Petre este pompier.

Ștefan este șofer.

Tudor este tractorist.

16. *Ce face Maria?*   *Ce face Alexandra?*

Maria mănîncă înghețată.

Alexandra șterge tabla.

17. *Citiți!* (Read!)

cerc	minge	ochelari
cercel	plînge	chibrite
bicicletă	frigider	ghete
ciclist	girafă	ghețar
cinci	gimnastică	ghiocel

Jocuri şi jucării

Mioara sare coarda.
(Mioara is skipping the rope.)

Ileana se joacă cu mingea.
(Ileana is playing.)

Doina se dă în leagăn.
(Doina is swinging.)

Rodica şi Ştefan patinează.
(Rodica and Ştefan are skating.)

Iată o paiaţă.
(This is a clown.)

Dinu joacă fotbal.
(Dinu is playing football.)

Ion şi Maria dansează.
(Ion and Maria are dancing.)

Păpuşile joacă teatru.
(This is a puppet show.)

Mircea desenează un iepure.
(Mircea is drawing a hare.)

1. *Cituți cuvintele! Pronunțați corect diftongii!* (Pronounce the diphthongs correctly!

oa

soare
soa re

vioară
vi oa ră

moară
moa ră

poartă
poar tă

ia

iarnă
iar nă

paiață
pa ia ță

băiat
bă iat

piatră
pia tră

ea

leagăn
lea găn

cerneală
cer nea lă

cafea
ca fea

cireașă
ci rea șă

ie

iepure
ie pu re

oaie
oa ie

caiet
ca iet

iederă
ie de ră

uă	2	9		
	două	nouă	ouă	plouă
	do **uă**	no **uă**	o **uă**	plo **uă**

2. *Citiţi şi apoi scrieţi cuvintele cu diftongi!*

Ce face Mihaela?
Mihaela bea **apă**.
Ea bea **apă** din pahar. (She is drinking water from a glass.)

Iată un cîine. Cîinele fuge după minge.
(Look, a dog. The dog is running after the ball.)

3. *Scrieţi diftongii în locul liniei!* (Fill in the blanks with diphthongs)

oa	ia	ea	ie	uă
Mi—ra	bă—t	caf—	ca-te	do—
c—rda	pa-ţă	Il—na	oa—	no—
j—că	—tă	l—găn	—pure	o—
fl—re				plo—

Exemplu: *Mioara, băiat, cafea, caiete, două*

29

4. *Citiți și apoi scrieți cifrele!*
   (Read and then write the figures)

   0 1 2 3 4 5 6 7 8 9

   zero, unu, doi, trei, patru, cinci, șase, șapte, opt, nouă

5. *Citiți pe silabe!*

   un bă iat   o floa re   un lea găn
   doi bă ieți   do uă flori   do uă lea gă ne
   trei bă ieți   cinci flori   pa tru lea gă ne
   nouă bă ieți   no uă flori   opt lea gă ne

6. *Ciți?* (How many?)   *Cîte?* (How many?)

 — Cîți pui sînt aici?   — Cîte mingi sînt aici?
 — Aici sînt zece pui.   — Aici sînt zece mingi.

 — Cîți iepuri sînt aici?   — Cîte ciuperci sînt aici?
 — Aici sînt doi iepuri.   — Aici sînt cinci ciuperci.

 — Cîți nuferi sînt aici?   — Cîte oi sînt aici?
 — Aici sînt doi nuferi.   — Aici sînt două oi.

7. *Scrieți cifrele în litere!* (Write the numbers in letters!)

   3 pompieri, 10 elevi, 4 dansatori, 2 șoferi, 7 băieți, 9 iepuri, 8 lupi, 2 urși, 3 flori

   Exemplu: *Trei pompieri.*

8. *Pronunțați sunetul* i*!* (Pronounce the sound i*!*)

i lung (long i)	i scurt (short i)
i ris	cîți
u zi nă	pui
I o nel	doi
ra di o	pom pi eri
Ho ri a	e levi
vi a duct	șo feri

Portretul

— Ce vedeţi în fotografie?
— În fotografie vedem un portret.
— Este un portret de băiat?
— Da, este portretul fratelui meu.
— Cum are părul fratele tău?
— El are părul castaniu.
— Are ochi negri?
— Nu. Fratele meu are ochi albaştri. Eu am ochi negri.
— Cum este nasul lui?
— Nasul lui este mic.

păr

frunte

ochi

nas

gură

urechi

Citiţi!

Cu ochii văd, privesc.	I see with my eyes.
Cu gura mănînc, vorbesc.	I eat and talk with my mouth.
Cu nasul miros.	I smell with my nose.
Cu urechile aud, ascult.	I hear with my ears.

capul *meu* (my head)
capul *tău* (your head)

fruntea *mea* (my forehead)
fruntea *ta* (your forehead)

Vocabular

Portretul = *The Portrait*
Ce vedeți în fotografie? = *What do you see in the picture?*
Da = *Yes*
este portretul fratelui meu = *it is my brother's portrait*
Cum are părul? = *How is his hair?*

castaniu = *brown*
ochi negri = *dark eyes*
Nu = *no*
albaștri = *blue*
nasul = *the nose*
un nas mic = *small nose*

1. *Citiți!*

Eu mă numesc Ionel. Eu sînt român.
(My name is Ionel.) (I am a Romanian.)
Tu te numești Johnny. Tu ești englez.
(Your name is Johnny.) (You are an Englishman.)
El se numește Peter. El este englez.
(His name is Peter.) (He is an Englishman.)
Ea se numește Zoica. Ea este româncă.
(Her name is Zoica.) (She is a Romanian girl.)
Zoica și cu mine sîntem români. Noi sîntem români.
(Zoica and I are Romanians.) (We are Romanians.)
Tu și Peter vorbiți englezește. Voi sînteți englezi.
(You and Peter speak English.) (You are English people.)
Radu și Mihai vorbesc românește. Ei sînt români.
(Radu and Mihai speak Romanian.) (They are Romanians.)
Zoica și Maria vorbesc românește. Ele sînt românce.
(Zoica and Maria speak Romanian.) (They are Romanian girls.)

Cuvintele: *eu, tu, el, ea, noi, voi, ei, ele* sînt **pronume personale** (personal pronouns).

2. *Scrieți!*

Ștefan este băiat. *El* are șapte ani.
(Ștefan is a boy.) (He is seven.)

Ana este fată. *Ea* are nouă ani.
(Ann is a girl.) (She is nine.)
Ștefan și Dinu sînt băieți. *Ei* sînt elevi.
(Ștefan and Dinu are boys.) (They are school-boys.)
Caterina și Zoica sînt fete. Ele sînt eleve.
(Caterina and Zoica are girls.) (They are school-girls.)

3. *Eu sînt, tu ești, el (ea) este*
   (I am, you are, he (she) is)

Citiți!

Eu sînt elev.	(I am a pupil.)
Tu ești pionier.	(You are a pioneer.)
El este fratele meu.	(He is my brother.)
Ea este sora mea.	(She is my sister.)

Întrebați ! (Ask!) *Răspundeți!* (Answer!)

— Tu ești englez? — Da, eu sînt englez.
— Gelu este român? — Da, el este român.
— Geta este romîncă? — Da, ea este romîncă.

Noi sîntem, voi sînteți, ei (ele) sînt
(we are, you are, they are)

Citiți!

Noi *sîntem* elevi.	(We are pupils.)
Voi *sînteți* eleve.	(You are pupils.)
Ei *sînt* pionieri.	(They are pioneers.)
Ele *sînt* pioniere.	(They are pioneers.)

Întrebați! *Răspundeți!*

— Voi sînteți frați? — Da, noi sîntem frați.
— Ei sînt pionieri? — Da, ei sînt pionieri.
— Ele sînt pioniere? — Da, ele sînt pioniere.

Ce fac copiii ?

Ce face el (ea)?   What is he (she) doing?

Mihai priveşte pe
fereastră.
(Mihai is looking
out of the window.)
El priveşte cu...

Ileana miroase o
floare.
(Ileana smells a
flower.)
Ea miroase cu . . .

Victor ascultă
muzică.
(Victor is listening to
music.)
El ascultă cu . . .

Ce fac ei (ele)?   (What are they doing?)

Emil şi *Alexandru*
— Ce fac *ei?*
— *Ei* citesc.

Sanda şi *Elena*
— Ce fac e*le?*
— **E**le mănîncă.

Cum   scriem şi cum pronunţăm?
Scriem: (We write) eu, ea, el, ei, ele, este
Pronunţăm: (We pronounce) *ieu, iea, iel, iei, iele, ieste*

1. *Citiți! Pronunțați corect sunetul* **e**! (Read! Pronounce the sound e correctly!)

    — Cum te numești?
    — Eu mă numesc Emil.
    — Tu ești elev?
    — Da, eu sînt elev.
    — Cum se numește sora ta?
    — Sora mea se numește Elena.
    — Ea este elevă?
    — Da, ea este elevă.
    — Voi sînteți pionieri?
    — Da, noi sîntem pionieri.

2. *Citiți cu voce tare!* (Read aloud!)

Florin cîntă.	Ștefan este șofer.
Gigi scrie.	Petre este pompier.
Dan rîde.	Tudor este tractorist.
Grigore citește.	Rodica este româncă.
Gelu merge.	Sandu este român.

    Acestea sînt **propoziții**. (These are sentences.)
    Propozițiile sînt formate din cuvinte. (The sentences are built up of words.)

3. *Formați propoziții cu cuvintele următoare:* (Build up sentences with the following words:)

Ana	cîntă	(is singing)
Xenia	mănîncă	(is eating)
Alexandru	citește	(is reading)
Doina	scrie	(is writing)
Nicu	miroase o floare	(Nicu smells a flower.)
Caterina	privește pe fereastră	(Caterina is looking out of the window.)
Eu	ascult muzică	(I am listening to music.)
Ștefan	ascultă radio	(Ștefan is listening to the radio.)

Exemplu; *Ana cîntă.*

4. *Scrieţi!*

Eu *deschid* fereastra.
Tu *deschizi* fereastra.
El
Ea $\Big\rangle$ *deschide* fereastra.

Noi *deschidem* uşa.
Voi *deschideţi* uşa.
Ei
Ele $\Big\rangle$ *deschid* uşa.

Lecţia 6

Gimnastica

— Bună dimineaţa, Sorine!
— Bună dimineaţa, mamă!
— Ce faci tu? Priveşti pe fereastră?
— Nu. Eu deschid fereastra.
— De ce deschizi fereastra? Faci gimnastică?
— Da. În fiecare dimineaţă fac gimnastică.
— Foarte bine faci. Gimnastica menţine corpul sănătos.

Proverb

Minte sănătoasă în corp sănătos.
(A healthy mind in a healthy body.)

Vocabular

Gimnastica — *Gymnastics*
Bună dimineaţa! — *Good morning!*
Ce faci tu? — *What are you doing?*
Priveşti pe fereastră? — *Are you looking out of the window?*
De ce — *Why?*

în fiecare dimineaţă — *every morning*
braţe — *arms*
picioare — *legs*
menţine corpul sănătos — *maintains a healthy body*

Citiţi!

Eu *fac* (I do)
Tu *faci* (you do)
El *face* (he does)
Ea *face* (she does)

Noi *facem* (we do)
Voi *faceţi* (you do)
Ei *fac* (they, do, masc.)
Ele *fac* (they do, fem.)

Eu f... gimnastică
Tu f... gimnastică
El f... gimnastică

Formați propoziții!

În fiecare dimineață $\begin{Bmatrix} \text{noi f...} \\ \text{voi f...} \\ \text{ei f...} \end{Bmatrix}$ gimnastică

Exemplu: *În fiecare dimineață noi facem gimnastică.*

1. *Priviți ilustrația!* (Look at the drawing!)

   Arătați! (Show!):

   capul (the head)
   gîtul (the neck)
   umărul drept (the right shoulder)
   umărul stîng (the left shoulder)
   brațul drept (the right arm)
   brațul stîng (the left arm)

   mîna dreaptă (the right hand)
   mîna stîngă (the left hand)
   piciorul drept (the right leg)
   piciorul stîng (the left leg)
   pieptul (the chest)
   spatele (the back)

2. *Întrebați și răspundeți!* (Ask and answer!)

   — Cîte degete ai la o mînă? (How many fingers have you at your hand?)
   — La o mînă am... degete.
   — Cîte degete sînt la două mîini? (How many fingers are there at two hands?)
   — La două mîini sînt... degete.

3. *Scrieți!*

   Cu mîinile lucrez. (I work with my hands.)
   Cu picioarele merg, alerg, fug. (I walk and run with my legs.)

4. *Eu am, tu ai, el (ea) are.* (I have, you have, he (she) has)

   Întrebaţi şi răspundeţi! (Ask and then answer!)

   — Tu ai ochi negri?   — Da, eu am ochi negri.
   — El are ochi albaştri? — Da, el are ochi albaştri.
   — Ea are ochi verzi?   — Da, ea are ochi verzi.

5. *Citiţi!*

   Eu am părul blond. (I have fair hair.)
   Tu ai părul şaten. (You have brown hair.)
   El are părul negru. (He has dark hair.)
   Ea are părul alb. (She has grey hair.)

6. *Noi avem, voi aveţi, ei (ele) au.* (We have, you have, they have)

   Noi avem un radio.

   un televizor (Noi avem *un televizor.*)
   un frigider (Noi avem *un frigider.*)
   un telefon (Noi avem *un telefon.*)

   Voi aveţi o chitară.

   o vioară   (Voi aveţi *o vioară.*)
   un pian   (Voi aveţi *un pian.*)
   un aspirator (Voi aveţi *un aspirator.*)

   Ei au ghete.

   pantofi (Ei au *pantofi.*)
   bricege (Ei au *bricege.*)

   Ele au o minge.

   un leagăn (Ele au *un leagăn.*)
   flori (Ele au *flori.*)

7. *Formaţi propoziţii!*

Eu	are	un măr		Noi	au	8 mere
Tu	are	o pară		Voi	avem	5 pere
El	ai	o banană		Ei	au	10 banane
Ea	am	3 cireşe		Ele	aveţi	un kilogram de cireşe

   Exemplu: **Eu am** *un măr.*

Sorin face gimnastică

Eu întorc
capul
spre dreapta,
apoi spre
stînga.

Corpul drept!
(Body upright!)

Întoarce capul spre dreapta!
(Turn the head to the right!)

Întoarce capul spre stînga!
(Turn the head to the left!)

Eu întind
braţul
stîng,
apoi
braţul
drept.

Corpul drept!
Mîinile la piept!
(Hands on the chest!)

Întinde braţul stîng!
(Stretch the left arm!)

Întinde braţul drept!
(Stretch the right arm!)

Corpul drept!
Mîinile
pe umeri!
(Hands on the
shoulders!)

Ridică piciorul
stîng!
(Lift your left
leg!)

Ridică piciorul
drept!
(Lift your right
leg!)

Eu ridic
piciorul
stîng.
apoi
piciorul
drept.

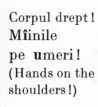

1. *Priviți ilustrațiile!*
   Întrebați și răspundeți!

   — **Ce face** rîndunica?   **Ce face** peștele?   **Ce face** pisica?

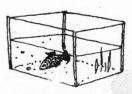

Rîndunica zboară.
(The swallow is
flying)

Peștele înoată.
(The fish is
swimming)

Pisica merge.
(The cat is
walking)

2. *Traduceți în limba română!* (Translate into Romanian!)

   I see with my eyes.   I hear with my ears.
   I eat and talk with my mouth. I work with my hands.
   I smell with my nose.   I walk and run with my legs.

3. *Citiți cu voce tare!* (Read aloud!)

   Ursul merge. Peștele înoată. Rîndunica zboară.
   Radu lucrează. Dan vorbește. Maria mănîncă.

   > Cuvintele: *merge, înoată, zboară, lucrează, vorbește, mănîncă*, sînt **verbe** (verbs).

4. *Citiți!*

   Verbul **a vorbi**

   Eu *vorbesc* românește. (Romanian).   Noi *vorbim* românește.
   Tu *vorbești* englezește. (English).   Voi *vorbiți* englezește.
   El *vorbește* tare (aloud).   Ei *vorbesc* tare.
   Ea *vorbește* încet. (in a low voice).   Ele *vorbesc* încet.

5. *Citiți!*

   Verbul **a citi**
   Eu *citesc* românește.   Noi *citim* bine.
   Tu *citești* englezește.   Voi *citiți* bine.
   El *citește*   Ei *citesc* încet.
   Ea *citește* ziarul.   Ele *citesc* cu voce tare.

42

6. *Înlocuiți punctele cu nume de copii!*

... citește cu voce tare.   ... lucrează.

... citește o carte.   ... cîntă.

... vorbește românește.   ... se spală.

... ziarul.   ... mănîncă.

7. *Înlocuiți punctele cu un verb din paranteză* (Fill in the blanks with one of the verbs in brackets)

(privește, citește, ascultă, miroase, face, se spală)

Ana... cu voce tare.   Mioara... pe fereastră.

Dan... radio.   Viorel... cu săpun.

Gelu... gimnastică.   Ileana... o floare.

În baie

George este în baie. Tudor întreabă:

— Unde ești George?

— Sînt în baie. Mă spăl.

— Este apă caldă?

— Da, este apă caldă.

— Faci duș?

— Da, mă spăl pe tot corpul: pe față, pe gît, pe piept, pe spate, pe mîini și pe picioare.

— Te speli și pe dinți?

— Da, mă spăl și pe dinți.

— Cu ce te speli pe dinți?

— Pe dinți mă spăl cu periuța și cu pasta de dinți.

Vocabular

În baie — *In the bathroom.*
unde ești? — *where are you?*
este apă caldă? — *is there warm water?*
faci duș? — *are you taking a shower?*

față — *face*
piept — *chest*
pasta de dinți — *tooth paste*

Întreabă!

— Unde ești?

— Ce faci? Te speli?

— Faci baie?

— Este apă caldă?

— Te speli și pe dinți?

— Te speli pe tot corpul?

Răspunde!

— Sînt în baie.

— Da, mă spăl.

— Da, fac baie și apoi fac duș.

— Da, este apă caldă.

— Da, mă spăl și pe dinți.

— Da, mă spăl pe tot corpul.

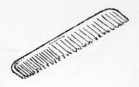

periuță și pastă de dinți   săpun   prosop   pieptene

1. *Citiți!*

— Cu ce se spală George?

— George se spală cu apă și cu săpun.

— Cu ce se șterge el?

— El se șterge cu prosopul.

— Cu ce se spală pe dinți?

— El se spală pe dinți cu periuța și cu pastă de dinți.

— Cu ce se piaptănă George?

— George se piaptănă cu pieptenele.

2. *Scrieți!*

Verbul **a se spăla**

Eu *mă spăl*.

Tu *te speli*.

El

Ea } *se spală*.

Noi *ne spălăm*.

Voi *vă spălați*.

Ei

Ele } *se spală*.

45

3. *Înlocuiţi punctele cu cuvinte potrivite!* (Fill in the blanks with the suited words!)

Eu mă spăl pe faţă.
... te speli pe mîini.
... se spală pe dinţi.
... se spală pe picioare.

Mă şterg cu ... .
Mă pieptăn cu...

Noi ne spălăm cu apă rece.
... vă spălaţi cu apă caldă.
... se spală cu apă şi săpun.
... se spală cu apă şi săpun.

Mă spăl pe dinţi cu ... şi cu ...
Mă spăl pe m... şi pe f...

4. *Întrebaţi!*

(Tu) Cu ce *te speli?*
(Ea) Cu ce *se şterge?*
(El) Cu ce *se piaptănă?*

— Tu *te speli?*
— Rodica *se spală?*
— Dan şi Nicu *se spală?*

Răspundeţi!

(Eu) Mă spăl cu apă şi săpun.
(Ea) Se şterge cu prosopul.
(El) Se piaptănă cu pieptenele.

— Da, eu *mă spăl.*
— Da, ea *se spală.*
— Da, ei *se spală.*

Verbul arată atît acţiunea *(mă spăl, se piaptănă, se spală)* cît şi persoana care face acţiunea *(eu, ea, ei).* (The verb shows both action and the person who does it (I, she, they)).

46

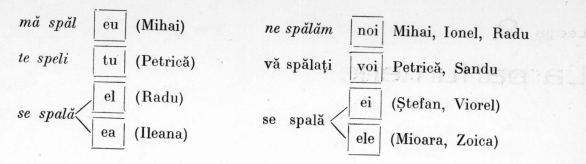

mă spăl	eu	(Mihai)	*ne spălăm*	noi	Mihai, Ionel, Radu
te speli	tu	(Petrică)	*vă spălaţi*	voi	Petrică, Sandu
se spală	el	(Radu)	*se spală*	ei	(Ştefan, Viorel)
	ea	(Ileana)		ele	(Mioara, Zoica)

— *Te doare* capul, Petrică?
— Da, *mă doare.*
— Eşti bolnav?
— Da, sînt bolnav.

5. *Scrieţi!*

Mă doare un deget. (My finger hurts me.)
Te doare urechea? (Have you a pain in your ear?)
Mă doare mîna stîngă. (I have a pain in my left hand.)
Te doare piciorul drept? (Have you a pain in your right leg?)
Sînt bolnav. (I am ill.)

La parfumerie

— Bună ziua!

— Bună ziua! Cu ce vă servim?

— Vă rog să-mi dați două lame de ras și o cremă de ras.

— Cît costă?

— Costă zece lei.

— Good day!

— Good day! What can I do for you?

— I'd like to have two razor blades and shaving cream.

— How much is this?

— Ten lei.

1. *Citiți!*

Eu am un burete de baie.

un săpun (Eu am un săpun.)

Tu ai

un prosop (Tu ai un prosop.)

curat (Tu ai un prosop *curat.*)

El are

o periuță (El are o periuță.)

Noi avem o mașină de bărbierit.

Voi aveți o mașină electrică de ras.

Ei au un pămătuf de ras.

burete de baie

2. *Conversație*

        — Unde te duci, Adriane?
        — Mă duc la parfumerie.
        — Ce cumperi de la parfumerie?
        — Cumpăr cremă de ras și două
           lame de ras.

(Conversation)

Where are you going, Adrian?
I am going to the parfumer's.
What are you going to buy there?
I'm going to buy some shaving cream
and two razor blades.

3. *Citiți!*

Aurel se spală în fiecare dimineață. El este *curat*.
    (Aurel washes every morning. He is clean.)
Adina se spală în fiecare dimineață. Ea este *curată*.
    (Adina washes every morning. She is clean.)
Adina și Aurel sînt curați.
    (Adina and Aurel are clean.)

4. *Întrebați!*

        — Cîte brațe ai?
        — Cîte picioare are girafa?
        — Ai părul blond?
        — Ai ochi negri?
        — Cîte degete ai la o mînă?

Răspundeți!

        — Am... brațe.
        — Girafa are... picioare.
        — Nu. Am părul...
        — Nu. Am ochi...
        — La o mînă am... degete.

5. *Citiți cu voce tare!*

Eu merg la dreapta.
Tu mergi la stînga.
El merge înainte.
Ea merge înapoi.

Noi mergem la dreapta.
Voi mergeți la stînga.
Ei merg înainte.
Ele merg înapoi.

| la dreapta — to the right | înainte — forwards |
| la stînga — to the left | înapoi — backwards |

4 — Curs de limba română vol. I — c. 1548

49

Cu ce mă îmbrac?

— Copii, mergem în parc! Îmbrăcaţi-vă!
— Cu ce mă îmbrac, mamă?
— Tu, Doina, îmbracă-te cu rochia albă, subţire şi pune pălăria.
— Mă încalţ cu pantofii albi?
— Da. Te încalţi cu pantofii albi şi cu ciorapi albi.
— Şerban cu ce se îmbracă?
— El se îmbracă cu cămaşă albă şi cu pantaloni scurţi.
— Dar tu, cu ce te îmbraci, mamă?
— Eu îmi pun o bluză şi o fustă subţire. Afară este cald.

Doina se îmbracă.
Ea pune o rochie albă, subţire
şi pălăria.

Şerban se îmbracă
cu cămaşa albă şi
pantaloni scurţi.

Vocabular

Cu ce mă îmbrac? — *What do I put on?*
mergem în parc — *we go into the park*
îmbrăcaţi-vă — *put on your clothes* (pl.)
îmbracă-te — *put on your clothes* (sing.)
rochia albă — *the white dress*
subţire — *thin*
mă încalţ — *I put on my shoes*
ciorapi albi — *the white socks*

se îmbracă cu cămaşă albă — *he puts on his white shirt*
pantaloni scurţi — *shorts*
eu îmi pun — *I put on*
bluză — *blouse*
fustă — *skirt*
afară este cald — *it is warm outside*

Lucruri de îmbrăcăminte (Clothes)

Culori

Albastru
(blue)

pantaloni
albaștri

un tricou
albastru

o rochie
albastră

mănuși
albastre

Roșu
(red)

un fular
roșu

o cravată
roșie

o bluză
roșie

pantofi
roșii

Galben
(yellow)

ciorapi
galbeni

o cămașă
galbenă

o fustă
galbenă

o căciulă
galbenă

Verde
(green)

o pălărie
verde

o haină
verde

un palton
verde

ciorapi
verzi

Ce culoare are...?

— Ce culoare are paltonul?
— Paltonul este *negru*.
— Ce culoare au pantofii?
— Pantofii sînt *negri*.

— Ce culoare are rochia?
— Rochia este *albă*.
— Ce culoare au pantofii?
— Pantofii sînt *albi*.

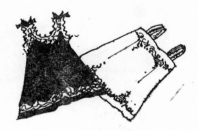

— Ce culoare au mănușile?
— Mănușile sînt *negre*.
— Ce culoare au batistele?
— Batistele sînt *albe*.

— Ce culoare au?
— Un combinezon este *alb*
  și un combinezon este *negru*.

Cum sînt: **rochiile, pantalonii, ghetele?**
(What are the dresses, trousers and boots like?)

groasă,	*subțire,*	*lungi,*	*scurți,*	*noi,*	*vechi*
(thick,	thin,	long,	short,	new,	old)

— Cum sînt rochiile?
— O rochie este *groasă*, iar o rochie este *subțire*.

— Pantalonii sînt *lungi?*
— Nu. Pantalonii sînt *scurți*.

— Ghetele sînt *noi?*
— Nu. Ghetele sînt *vechi*.

Vocabular

Ce culoare are — ...? — *What is the colour...?*

---

1. *Citiți!*

Verbul **a se îmbrăca**

Eu *mă îmbrac.*
Tu *te îmbraci.*
El (ea) *se îmbracă.*

Noi *ne îmbrăcăm.*
Voi *vă îmbrăcați.*
Ei (ele) *se îmbracă.*

Eu mă îmbrac.

cu o rochie (Eu mă îmbrac *cu o rochie.*)
albastră (Eu mă îmbrac cu o rochie *albastră.*)
nouă (Eu mă îmbrac cu o rochie albastră, *nouă.*)

Tu te îmbraci.

cu bluză (Tu te îmbraci *cu bluză.*)
galbenă (Tu te îmbraci cu bluză *galbenă.*)
subțire (Tu te îmbraci cu bluză galbenă, *subțire.*)

El se îmbracă.

cu cămașă (El se îmbracă *cu cămașă.*)
albă (El se îmbracă cu cămașă *albă.*)

Ea se îmbracă.

cu fustă (Ea se îmbracă *cu fustă*.)
verde (Ea se îmbracă cu fustă *verde*.)
groasă (Ea se îmbracă cu fustă verde, *groasă*.)

Noi ne îmbrăcăm.

cu haine (Noi ne îmbrăcăm *cu haine*.)
verzi, subţiri (Noi ne îmbrăcăm cu haine *verzi, subţiri*.)

Voi vă îmbrăcaţi.

cu paltoane (Voi vă îmbrăcaţi *cu paltoane*.)
groase (Voi vă îmbrăcaţi cu paltoane *groase*.)

Ei se îmbracă.

cu pantaloni (Ei se îmbracă *cu pantaloni*.)
negri, lungi (Ei se îmbracă cu pantaloni *negri, lungi*.)

Îmbracă-te!	Încalţă-te!
Îmbrăcaţi-vă!	Încălţaţi-vă!

2. *Pronunţaţi corect!*

tricou,   mănuşi,   cămăşi,   ciorapi,   căciulă
tri cou,   mă nuşi,   că măşi,   cio rapi,   că ciu lă

3. *Citiţi!*

o rochie galbenă	Rodica are *o rochie galbenă.*
un pantalon verde	Rodica are *un pantalon verde.*
o cămaşă albastră	Nicu are *o cămaşă albastră.*
o bluză roşie	Rodica are *o bluză roşie.*
ciorapi albi	Nicu are *ciorapi albi.*
şosete albe	El are *şosete albe.*
pantaloni negri	Nicu are *pantaloni negri.*
rochie groasă	Rodica are *o rochie groasă.*
rochie subţire	Ana are *o rochie subţire.*
pantaloni scurţi	Nicu are *pantaloni scurţi.*
pantaloni lungi	Dan are *pantaloni lungi.*
pantofi noi	Rodica are *pantofi noi.*
pantofi vechi	Nicu are *pantofi vechi.*

ochi *negri*
ochi *albaştri*
ochi *verzi*

Eu am *ochi negri*.
Tu ai *ochi albaştri*.
El are *ochi verzi*.

4. *Înlocuiţi punctele cu o culoare preferată.* (Fill in the blanks with a colour you like.)

Eu am un combinezon ...
Am o rochie ...
Mă îmbrac cu un palton ...
Am pantofi ...
Îmi pun o bluză ... şi o fustă ...
Fratele meu are pantaloni ... şi cămaşă ...
Mama are o pălărie ... pantofi ... şi mănuşi ...

5. *Ce face Radu?*   *Ce face Ileana?*

Radu *se dezbracă*   El se îmbracă cu o pijama.   Ileana *se dezbracă.*   Ea se îmbracă cu o cămaşă de noapte.

6. *Citiţi verbele!*

Eu mă *îmbrac.*
Eu mă *dezbrac.*

Noi ne *îmbrăcăm.*
Noi ne *dezbrăcăm.*

Tu te *îmbraci.*
Tu te *dezbraci.*

Voi vă *îmbrăcaţi.*
Voi vă *dezbrăcaţi.*

El se *îmbracă.*
El se *dezbracă.*

Ei se *îmbracă.*
Ei se *dezbracă.*

7. *Citiţi următoarele substantive şi cuvintele care arată însuşirile acestor obiecte!* (Read the following nouns and the words which qualify these objects.)

rochie *groasă, albastră*
ghete *vechi, albe, curate*
pantofi *noi, negri*

pantaloni *scurţi, albaştri, curaţi*
cămaşă *subţire, galbenă, curată*
prosop *gros, vechi, curat*

Cuvintele care arată însuşirile obiectelor sînt **adjective.** (The words which qualify the nouns are **adjectives.**)

Magazinul de încălţăminte

Dan şi tatăl său intră în magazinul de încălţăminte. Vînzătorul îi întreabă:
— Cu ce vă servim?
— Pentru mine, doresc o pereche de pantofi negri. Pentru băiatul meu, vreau o pereche de ghete albe.
— Pantofii aceştia vă plac?
— Da, îmi plac.
— Dar ghetele acestea, sînt frumoase?
— Da, sînt frumoase. Cred, însă, că sînt mici.
— Vă rog să le încercaţi.

Dan se descalţă, apoi se încalţă cu ghetele noi. Tatăl său încearcă pantofii.
— Ghetele nu sînt mici, tată!
— Pe mine mă jenează pantoful stîng.
— Doriţi alţi pantofi mai mari?
— Da! Daţi-mi, vă rog, o pereche de pantofi mai mari.
— Pantofii aceştia sînt buni?
— Da, aceştia nu mă jenează.

Vînzătorul face bonul. Dan şi tatăl său plătesc. Ei primesc pachetul cu încălţăminte.

Vocabular

Magazinul de încălţăminte — *The boot-shop*
intră — *enter*
cu ce vă servim? — *what can I do for you?*
vînzătorul — *the shop assistant*

doresc — *I want*
o pereche — *a pair*
aceştia, acestea — *these*
vă plac? — *do you like?*

frumoase — *nice*
cred că sînt mici — *I think they are too small*
mă jenează — *they pinch me*
alți pantofi — *another pair of shoes*

mai mari — *bigger*
să-i încerc — *let me try them on*
face bonul — *draws the bill*
plătesc — *they pay*
primesc pachetul — *they receive the parcel*

---

1. *Înlocuiți punctele cu cuvinte potrivite, din textul citit!* (Fill in the blanks with words from the text!)

Pentru mine... o pereche de pantofi.
Pentru băiat... o pereche de ghete maron.
Pantofii... vă plac?
Ghetele... sînt frumoase?
Dan se..., apoi se... cu ghetele.
Tatăl său se... cu pantofii.
Ghetele... nu sînt mici.
Pantofii... sînt buni.

2. *Întrebați!*

— Vă plac pantofii *aceștia?*
— Sînt frumoase ghetele *acestea?*
— Ghetele sînt mici?
— Pantofii vă jenează?
— Doriți alți pantofi mai mari?
— Pantofii *aceștia* sînt buni?

Răspundeți!

— Da, îmi plac.
— Da, sînt frumoase.
— Nu. Ghetele nu sînt mici.
— Da, mă jenează.
— Da, vreau alți pantofi mai mari.
— Da. Pantofii *aceștia* sînt buni.

3. *Citiți!*

În magazinul de încălțăminte sînt: ghete, pantofi, cizme și bocanci.

4. *Scrieți verbele:*

a se încălța

Eu mă *încalț.*
Tu te *încalți.*
El
Ea ⟩ se *încalță.*
Noi ne *încălțăm.*
Voi vă *încălțați.*
Ei
Ele ⟩ se *încalță.*

a se descălța

Eu mă *descalț.*
Tu te *descalți.*
El
Ea ⟩ se *descalță.*
Noi ne *descălțăm*
Voi vă *descălțați.*
Ei
Ele ⟩ se *descalță.*

5. *Ei se încalţă* = They put on their shoes.

Sandu şi Rodica *se încalţă*.
Sandu îşi pune şosetele şi ghetele.
Rodica îşi pune ciorapii şi pantofii.

Ei se descalţă = They take off their shoes.

Rodica şi Sandu *se descalţă*.
Ei îşi scot pantofii, ghetele, ciorapii şi şosetele.

6. *Înlocuiţi punctele cu pronumele potrivit!*

... mă încalţ cu pantofi maron.
... te încalţi cu ghete noi.
... se încalţă cu cizme roşii.
... se încalţă cu bocanci vechi.
... ne încălţăm cu pantofi albi.
... vă încălţaţi cu ghete negre.
... se încalţă cu cizme galbene.
... se încalţă cu bocanci maron.

7. *Formaţi propoziţii din cuvintele următoare:*

Pronume	Verbe	Substantive	Adjective
El	are	pantofi	noi
Noi	avem	ghete	vechi
Eu	am	cizme	mici
Voi	aveţi	bocanci	maron
Tu	ai	ciorapi	lungi
Ea	are	ciorapi	scurţi
Ele	au	pantofi	frumoşi
Ei	au	ghete	frumoase

Exemplu: *El are pantofi noi.*

Din ce sînt confecţionate?

Iată un palton. Paltonul este confecţionat din stofă de **lînă**.

Acest costum este confecţionat din terilenă.

Şosetele sînt confecţionate din bumbac.

Un fular de mătase.

O cămaşă de relon.

Un guler şi o căciulă de blană.

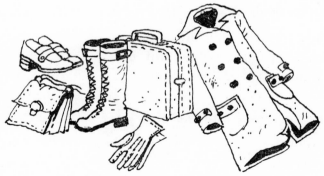

Pantofi, poşetă, cizme, mănuşi, o haină şi un geamantan confecţionate din piele.

Vocabular

Din ce sînt confecţionate? — *What are they made of?*
din stofă de lînă — *of woollen cloth*
din terilenă — *of terylene*
din bumbac — *of cotton*

din piele — *of leather*
din mătase — *of silk*
din relon — *of synthetic fibres*
de blană — *of fur*

Exerciţii

1. *Înlocuiţi punctele cu cuvintele următoare:* de lînă, de mătase, de piele, de bumbac, de blană, de relon.

Întrebaţi!

— Ai o rochie de mătase?
— Ai un fular de bumbac?
— Căciula ta este de lînă?
— Haina este de piele?
— Pantofii şi geanta sînt de piele?
— Combinezonul este de relon?
— Tricoul este de bumbac?
— Costumul este de lînă?

Răspundeţi!

— Nu am o rochie de...
— Nu. Am un fular de...
— Nu. Căciula mea este de...
— Da. Haina este de...
— Da. Pantofii şi geanta sînt de...
— Nu. Combinezonul meu este de...
— Nu. Tricoul este de...
— Nu. Costumul este de...

2. *Scrieţi!* (sînt de piele, de mătase, de bumbac, de relon, de lînă)

Ghetele, bocancii, cizmele, pantofii sînt de...
Fularul, mănuşile, tricoul, şosetele sînt de...
Paltonul şi căciula sînt de...

3. *Înlocuiţi punctele cu verbul* **este** *sau* **sînt**

Cămaşa ... de relon.
Eşarfa ... de mătase.
Paltonul ... de blană.
Tricoul ... de bumbac.

Rochiile ... de mătase.
Cizmele ... de piele.
Mănuşile ... de lînă.
Ciorapii ... de bumbac.

Haina ... confecționată din stofă de lînă.
Căciula și gulerul ... confecționate din blană.
Pantofii ... confecționați din piele.
Poșeta ... confecționată din piele.

4. *Găsiți întrebarea!* (Find out the question!)

Bluza mea este confecționată din mătase.
Bluza ta este confecționată din relon.
Fularul și mănușile sînt confecționate din lînă.
Gulerul și căciula sînt confecționate din blană.

Exemplu: *Din ce este confecționată bluza ta?*

Repetare

1. *Formați propoziții!*

Eu mă spăl	pe mîini, pe față, pe gît, pe corp, pe picioare.
Eu mă spăl	cu săpun, cu buretele de baie, cu apă rece, cu apă caldă.
Eu mă șterg	cu prosopul.
Eu mă pieptăn	cu pieptănul, cu peria de cap.
Noi ne îmbrăcăm	cu cămașă, pantalon, tricou, ciorapi, șosete, haină, căciulă, pălărie, fular, mănuși, rochie, bluză, fustă, palton.
Ne încălțăm	cu ghete, pantofi, cizme, bocanci, cu ciorapi, șosete.

2. *Întrebați și răspundeți!*

Cum este paltonul?	lung, scurt, gros, subțire, curat, vechi, nou.
Cum este rochia?	lungă, scurtă, groasă, subțire, curată, veche, nouă.
Cum sînt pantofii?	mici, mari, noi, vechi, frumoși, curați.
Cum sînt ghetele?	mici, mari, noi, vechi, frumoase, curate.

Ce culoare are pantalonul?	alb, negru, roșu, verde, galben, albastru
Ce culoare are cămașa?	albă, neagră, roșie, verde, galbenă, albastră
Ce culoare au ciorapii?	albi, negri, roșii, verzi, galbeni, albaștri
Ce culoare au mănușile?	albe, negre, roșii, verzi, galbene, albastre

3. *Potriviți cuvintele și formați propoziții!*

Eu cumpăr	cu săpun
Eu mă îmbrac	o perie de dinți
Eu privesc	cu cămașa de noapte
Eu mă spăl	cu pantofi noi
Eu mă încalț	pe fereastră.

Exemplu: *Eu cumpăr o perie de dinți.*

4. Formați propoziții!

Eu cumpăr	o cămașă	galbenă	de relon
Tu cumperi	un fular	roșu	de lînă
El cumpără	un tricou	verde	de bumbac
Ea cumpără	o bluză	albastră	de mătase
Noi cumpărăm	cizme	roșii	de piele
Voi cumpărați	bocanci	maron	de piele
Ei cumpără	ghete	albe	cu patine (skates)
Ele cumpără	pantofi	negri	de lac (patent leather)

5. Cum este?   Ce culoare are?

— Bluza este verde?

— Nu. Bluza este . . .

— Acest fular este galben?
— Nu. Acest fular este . . .

— Rochia aceasta e albă?
— Nu. Rochia aceasta e . . .

— Fusta e verde?
— Nu. Fusta e . . .

— Pălăria e albastră?
— Nu. Pălăria e . . .

— Pantofii aceștia sînt albi?
— Nu. Pantofii aceștia sînt . . .

— Ce culoare au ciorapii?

— Ce culoare au pantalonii?

— Ce culoare are căciula?

6. *Scrieți cuvintele următoare în trei coloane, după modelul dat!*
   (Write the following words in three columns, after the given model.)

   săpun, privesc, veche, pieptene, mănuşi, caldă, mă spăl, rece, mă îmbrac, curate, mare, palton, şosete, mănînc.

Substantive	Adjective	Verbe
săpun	veche	privesc

Blocul G 4

— Unde locuiești tu?

— Eu locuiesc în blocul G 4. Dar.tu unde locuiești?

— Eu locuiesc în același bloc.

— Noi ocupăm apartamentul 14 (paisprezece), la etajul întîi.

— Noi ocupăm apartamentul 20 (douăzeci) la etajul al doilea.

— Cîte camere are apartamentul vostru?

— Apartamentul nostru are patru camere, baie și bucătărie.

— Noi avem apartament cu trei camere, hol, baie și bucătărie.

— De cînd locuiți aici?

— Locuiesc de cinci zile.

— Eu locuiesc de zece zile.

— Îți place cartierul acesta?

— Da. Cartierul Titan este unul din cartierele frumoase ale orașului București.

— Cum te numești?

— Numele meu este Dan Iliescu.

— Eu mă numesc Adrian Moldoveanu. Sînt bucuros că locuim în același bloc.

Vocabular

Bloc G 4 — *Block G 4*
unde locuiești tu? — *where do you live?*
în același bloc — *in the same block*
noi ocupăm apartamentul paisprezece —
   we have flat nr. fourteen
la etajul al doilea — ***on** the second floor*

cîte camere are? — *how many rooms has it?*
de cînd? — *how long?, since when?*
cartier — *district*
numele meu este — *my name is*
sînt bucuros — *I am glad*

5 — Curs de limba română vol. I — c. 1548

65

Blocuri din cartierul Titan

1. *Numărați de la zece la douăzeci!*

10	11	12	13
zece,	unsprezece,	doisprezece,	treisprezece,

14	15	16	17
paisprezece,	cincisprezece,	șaisprezece,	șaptesprezece,

18	19	20
optsprezece,	nouăsprezece,	douăzeci.

2. *Citiți!*

12, 17, 13, 18, 15, 19, 14, 11, 16, 20

20, 19, 18, 17, 16, 15, 14, 13, 12, 11

3. *Apartamentul 20*

Apartamentul 20 se află la etajul al doilea. El este compus din:

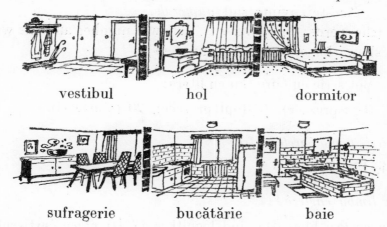

vestibul	hol	dormitor

sufragerie	bucătărie	baie

4. *Citiți!*

Verbul **a locui**

Eu *locuiesc* în blocul G 4.

Tu *locuiești* în apartamentul 15.

Dan *locuiește* în apartamentul 14.

Rodica *locuiește* în apartamentul 17.

Noi *locuim* în același bloc.

Voi *locuiți* la etajul întîi.

Ei *locuiesc* la etajul al doilea.

Ele *locuiesc* la parter.

5. *Scrieți!*

Blocul G 4 are parter și zece etaje:

etajul întîi, *al* doilea, *al* treilea, *al* patrulea, *al* cincilea, *al* șaselea, *al* șaptelea, *al* optulea, *al* nouălea, *al* zecelea.

6. *Întrebați!*

     — Unde locuiești tu?
     — În ce cartier locuiți?
     — În ce bloc locuiește el?
     — La ce etaj locuiesc ei?
     — Ce apartament ocupați?

Răspundeți!

     — Eu locuiesc în București.
     — Noi locuim în cartierul Titan.
     — El locuiește în blocul Z 15.
     — Ei locuiesc la etajul al șaptelea.
     — Noi ocupăm apartamentul 20.

     Cuvintele: *cincisprezece, douăzeci,* arată un număr, iar cuvintele *întîi, al doilea* arată ordinea numerelor.
     Aceste cuvinte sînt *numerale.*
     (the words: *cincisprezece*... show a number and the words *întîi* ... show the order of the numbers).

Numeralele se pot scrie cu cifre sau cu litere:

10 (zece), 13 (treisprezece), 18 (optsprezece), 20 (douăzeci).

7. *Citiți și scrieți următoarele cifre:*

8, 11, 16, 14, 17, 19, 20.

8. *Traduceți în limba engleză!*

     Locuim în același bloc. De cînd locuiți aici? Îți place cartierul acesta? Este unul din cartierele frumoase ale orașului București.
     Sînt bucuros că locuim în același bloc.

     Substantivele: *bloc, apartament, camere, baie, bucătărie, hol, sufragerie, zile, oraș, cartier, școală, clasă, colegi* sînt **substantive comune** (These are common nouns).

     Substantivele: *Dan Iliescu, Adrian Moldoveanu, București, Titan* sînt **substantive proprii** (These are proper nouns).

     Substantivele proprii se scriu cu inițială mare.
     (Proper nouns are written with initial capitals.)

9. *Naționalități* (Nationalities)

Ion este român. (Romanian)
Jean este francez. (French)
Jim este englez. (English)
Giovani este italian. (Italian)
Hans este german. (German)

În limba română numele de popoare se scriu cu inițială mică.

10. *Înlocuiți punctele cu substantivele comune sau proprii:*

Eu am doi prieteni români. Ei se numesc ... și .... Eu sînt englez. Eu locuiesc în .... Prietenii mei locuiesc în ... București.

11. *Formați propoziții:*

Eu	locuiesc		București
Tu	locuiești		România
Adrian	locuiește	în	cartierul Titan
Noi	locuim		blocul C 12
Voi	locuiți		apartamentul 19
Ei	locuiesc	la	etajul al zecelea
Ele			etajul al nouăsprezecelea

Exemplu:

Eu locuiesc în București.

Lecția 15

Familia mea

Adrian și Dan locuiesc în același bloc. Adrian vorbește cu Dan.

Adrian: — Dane, vrei să cunoști familia mea?

Dan: — Da, bucuros!

Adrian: — Vino! Acum sînt toți acasă.

Adrian: — Acesta este tatăl meu. Tată, îți prezint un coleg de clasă. Locuim în același bloc.

Tata: — Îmi pare bine. Cum te numești?

Dan: — Mă numesc Dan Iliescu. Dumneavoastră cum vă numiți?

Tata: — Numele meu este Ștefan Moldoveanu.

Adrian: — Dan, îți prezint pe mama mea.

Aceasta este Elena, sora mea.

Dan: — Cîți ani are sora ta?

Adrian: — Elena are șase ani. Este elevă în clasa întîi.

Iată aceștia sînt bunicii mei.

Dan: Sînt părinții tatălui tău?

Adrian: — Nu. Bunicul acesta și bunica sînt părinții mamei.

Părinții tatălui meu locuiesc în orașul Cluj.

Dan: — Unde este fratele tău?

Adrian: — Fratele meu este în camera lui.

Dan: — Cîți ani are fratele tău?

Adrian: — Fratele meu are cincisprezece ani. El este elev în clasa a noua.

Vocabular

Familia mea — *My Family*

vrei să cunoști? — *do you want to meet?*

vino — *come*

acum sînt toți acasă — *they are all at home now*

îți prezint — *I introduce to you*

coleg de clasă — *classmate*

aceștia — *these*

bunicii mei — *my grandparents*

părinții tatălui tău — *your father's parents*

Expresii uzuale (Everyday phrases)

Îmi pare bine — *Glad to meet you*
Cum te numești? — *What is your name?*
Cîți ani are el? — *How old is he?*
Ce vîrstă are el? — *What is his age?*
Dumneavoastră cum vă numiți? — *What is your name?*
Cum te numești dumneata? — *What is your name?*

Conversație

1. *Întrebați!*

		Răspundeți!
Cum te numești?	(What is your name?)	Eu mă numesc...
Cum se numește sora ta?	(What is your sister's name?)	Sora mea se numește...
Cum se numește fratele tău?	(What is your brother's name?)	Fratele meu se numește...
Cîți ani are sora ta?	(How old is your sister?)	Sora mea are... ani.
Cîți ani ai tu?	(How old are you?)	Eu am... ani.
Cîți ani are fratele tău?	(How old is your brother?)	Fratele meu are... ani.

Ín ce clasă eşti?	(In what form are you?)	Eu sînt în clasa a...
Ín ce clasă este sora ta?	(In what form is your sister?)	Sora mea este în clasa a...
Ín ce clasă este fratele tău?	(In what form is your brother?)	Fratele meu este în clasa a...
Cum vă numiţi dumneavoastră?	(What is your name?)	

2. *Scrieţi!*

Clasa întîi, *a* doua, *a* treia, *a* patra, *a* cincea, *a* şasea, *a* şaptea, *a* opta, *a* noua, *a* zecea, *a* unsprezecea, *a* douăsprezecea

3. *Citiţi!*

Acesta este tatăl meu.	— This is my father.
Acesta este bunicul meu.	— This is my grandfather.
Acesta este fratele meu.	— This is my brother.
Aceasta este mama mea.	— This is my mother.
Aceasta este sora mea.	— This is my sister.
Aceasta este bunica mea.	— This is my grandmother.
Aceştia sînt părinţii mei.	— These are my parents.
Aceştia sînt bunicii mei.	— These are my grandparents.

4. *Citiţi!*

Eu sînt
elev (Eu sînt *elev*.)
băiat (Eu ... *băiat*.)
fratele tău (Eu ... *fratele tău*.)

Tu eşti
sora mea (Tu eşti *sora mea*.)
elevă (Tu... *elevă*.)
în clasa întîi
(Tu... *elevă în clasa întîi*.)

El este
tatăl meu (El este *tatăl meu*.)
bunicul meu (El... *bunicul meu*.)
colegul meu (El... *colegul meu*.)

Eu am
zece ani (Eu am *zece ani*).
o carte (Eu ... *o carte*.)
o minge (Eu ... *o minge*.)

Tu ai
ghete noi (Tu ai *ghete noi*.)
ciorapi albi (Tu... *ciorapi albi*.)
cămaşă albă (Tu... *cămaşă albă, nouă*.)

El are
cizme negre (El are *cizme negre*.)
pantofi maron (El... *pantofi maron*.)
şosete (El... *şosete*.)

Ea este

sora mea (Ea este *sora mea*.)
mama mea (Ea... *mama mea*.)
bunica mea (Ea... *bunica mea*.)

Noi sîntem

frați (Noi sîntem *frați*.)
colegi (Noi... *colegi*.)
elevi (Noi... *elevi*.)

Voi sînteți

români (Voi sînteți *români*.)
englezi (Voi... *englezi*.)

Ei sînt

părinții mei (Ei sînt *părinții mei*.)
bunicii mei (Ei... *bunicii mei*.)

Ele sînt

surori (Ele sînt *surori*.)
eleve (Ele... *eleve*.)
colege (Ele... *colege*.)

Ea are

ochi verzi (Ea are *ochi verzi*.)
părul blond (Ea... *părul blond*.)
gura mică (Ea... *gura mică*.)

Noi avem

un apartament (Noi avem un *apartament*.)
o sufragerie (Noi... *o sufragerie*.)
un dormitor (Noi... *un dormitor*.)

Voi aveți

o baie (Voi aveți *o baie*.)
o bucătărie (Voi... *o bucătărie*.)

Ei au

o școală nouă (Ei au *o școală nouă*.)
o școală mare (Ei... *o școală mare*.)

Ele au

rochii scurte (Ele au *rochii scurte*.)
rochii lungi (Ele... *rochii lungi*.)
pălării frumoase (Ele... *pălării frumoase*.)

Lecția 16

În cameră

Dan **intră** în camera lui Adrian. Camera este mobilată cu mobilă nouă: un dulap de haine, un pat, o masă, o bibliotecă, un fotoliu și două scaune. Pe jos este așternut un covor românesc. Pe pereți sînt cîteva tablouri. La fereastră se află o perdea subțire. Lîngă pat este o lampă. Dan iese în balcon. În balcon sînt multe flori.

Vocabular

În cameră — *In the Room*
este mobilată — *is furnished*
mobilă nouă — *new furniture*
dulap de haine — *wardrobe*
pat — *bed*
bibliotecă — *bookcase*
fotoliu — *armchair*

pe jos este așternut un covor — *there is a carpet on the floor*
pe pereți — *on the walls*
tablouri — *pictures, paintings*
perdea — *curtain*
iese — *goes out*
în balcon — *on the balcony*

1. *Înlocuiți punctele cu cuvinte din textul citit!* (Fill in the blanks with words from the text!)

Dan... în camera lui Ștefan. Camera este... frumos. Pe jos este... un covor românesc. Pe pereți... cîteva tablouri. La fereastră... o perdea subțire. Lîngă pat... o lampă. Dan ... în balcon.

2. *Scrieți!*

Mobila este compusă din: un pat, ...

Apartamentul este compus din: hol, ...

3. *Desenați!*

un pat, un dulap, un scaun, o lampă, o bibliotecă.

4. *Înlocuiți punctele cu pronumele potrivit: eu, tu, el, noi, voi, ei!*

... *locuiesc* în bloc.	... *sîntem* colegi.
... *privesc* pe fereastră.	... *locuim* în același bloc.
... *privești* pe fereastră.	... *vorbiți* românește.
... *citești* o carte.	... *citiți* cărți.
... *vorbește* românește.	... *privesc* un tablou.
... *locuiește* în România.	... *locuiesc* la parter.

5. *Formați propoziții cu verbele:* **a intra** *și* **a ieși**!

Eu *intru*		cameră
Tu *intri*		sufragerie
El *intră*		dormitor
Noi *intrăm*	în	hol
Voi *intrați*		baie
Ei *intră*		bucătărie

Exemplu: *Eu intru în cameră.*

Eu *ies*	din	...	Noi *ieșim*	din	...
Tu *ieși*		...	Voi *ieșiți*		...
El *iese*		...	Ei (ele) *ies*		...

Exemplu: *Eu ies din dormitor.*

75

6. *Puneți verbul potrivit lîngă pronume.*

(Fill in the blanks with the verb that agrees with the pronoun)

am, ai, are, avem, aveți, au

Eu... cincisprezece ani.

Tu... o cameră frumoasă.

Noi... un apartament nou.

Ei... mobilier nou.

Voi... fotolii noi.

El... o bibliotecă cu multe cărți.

Eu ... un dulap de haine.

Noi... o masă cu șase scaune.

7. *Citiți!*

un pat	*Eu am o cameră.*
o masă	(Eu am *un pat.*)
un dulap	(Eu am *o masă.*)
un fotoliu	(Eu am *un dulap.*)
și un scaun	(Eu am un dulap, *un fotoliu.*)
Tu	(Eu am un dulap, un fotoliu *și un scaun.*)
un tablou	*Tu ai o cameră.*
pe perete	(Tu ai *un tablou.*)
o perdea	(Tu ai un tabou *pe perete.*)
la fereastră	(Tu ai *o perdea.*)
El	(Tu ai o perdea *la fereastră.*)
subțire	*El are o perdea.*
un covor	(El are o perdea *subțire.*)
românesc	(Ea are *un covor.*)
Noi	(Ea are un covor *românesc.*)
cu trei camere	*Noi avem un apartament.*
bucătărie	(Noi avem un apartament *cu trei camere.*)
și baie	(Noi avem un apartament cu trei camere, *bucătărie și baie.*)
Voi	*Voi aveți un apartament.*
la etajul întîi	(Voi aveți un apartament *la etajul întîi.*)
Ei	*Ei au un apartament.*
la parter	(Ei au un apartament *la parter.*)
Ele	(*Ele* au un apartament la parter.)

În parc

Domnul Moldoveanu vine cu copiii în parc. Doamna Iliescu stă pe bancă și citește o carte.

— Bună ziua, doamnă Iliescu!

— Bună ziua, domnule Moldoveanu. Ați venit cu copiii în parc?

— Da. *Aceștia* sînt băieții mei și *acestea* sînt fetele mele. Copiii dumneavoastră unde sînt?

— Sînt acolo pe bancă. *Aceia* care stau în picioare sînt băieții mei, iar *acelea* care stau pe bancă sînt fetele mele.

— Cine este băiatul cu care vorbesc?

— *Acela* este prietenul copiilor mei.

— Dar fetița care se joacă cu mingea, cine este?

— *Aceea* este o colegă a fetelor mele.

— Tată, putem să ne ducem la joc?

— Da, duceți-vă! Eu stau aici pe bancă și citesc ziarul. La ora douăsprezece plecăm acasă.

Vocabular

În parc — *In the Park*
stă pe bancă — *is sitting on a bench*
bună ziua — *good morning*
ați venit — *you have come*
aceștia }
acestea } — *these*
acolo — *there*
stau în picioare — *are standing*
aceia }
acelea } — *those*
cine este? — *who is?*

băiatul cu care vorbesc — *the boy they are talking to*
fetița care se joacă — *the young girl playing with the ball*
acela }
aceea } — *that*
putem să ne ducem la joc? — *may we go to play?*
duceți-vă! — *you may go!*
ne ducem — *we go*

Expresii uzuale

Bună ziua! — *Good morning!*

1. *Citiţi şi traduceţi în engleză!*

Acela, care se joacă, este băiatul meu.
Aceea, cu care se joacă, este sora lui.
Aceia, care stau în picioare, sînt băieţii mei.
Acelea, cu care vorbesc, sînt fetele mele.
Aceasta, care sare coarda, este sora ta?
Acesta, care se dă în leagăn, este fratele tău?
Aceştia, care citesc, sînt părinţii tăi?
Acestea, care dansează, sînt fetele mele.

2. *Înlocuiţi punctele cu cuvîntul potrivit:* acela, aceea, aceia, acelea

... de acolo este fratele meu.
... de acolo este sora mea.
... este tatăl meu.
... este mama mea.
... sînt fraţii mei.
... sînt surorile mele.
... sînt bunicii mei.
... sînt fetele mele.

3. *Traduceţi în limba engleză!*

Aceştia, care stau în picioare, sînt copiii mei.
Acestea, care stau pe bancă, sînt fetele mele.
Acela, care vorbeşte, este tatăl meu.
Aceea, cu care vorbeşte, este mama mea.

4. *Formaţi propoziţii cu verbul a se duce!*

Eu mă duc...
Tu te duci...
El (ea) se duce...
(în parc, acasă, la joc)

Noi ne ducem...
Voi vă duceţi...
Ei (ele) se duc...

Exemplu: *Eu mă duc la joc.*

Acesta, Aceasta
(This)

Acesta este băiatul meu.

Acela, Aceea
(That)

Acela este prietenul său.

Aceasta este fetiţa mea.

Aceea este prietena sa.

Aceştia, Acestea
(These)

Aceştia sînt băieţii mei.

Aceia, Acelea
(Those)

Aceia sînt prietenii lor.

Acestea sînt fetele mele.

Acelea sînt prietenele lor.

Aici (aproape)
(Here, near)

Acesta, de *aici*, este băiatul meu.

Aceasta, de *aici*, este fata mea.

Aceştia, de *aici*, sînt băieţii mei.

Acestea, de *aici*, sînt fetele mele.

Acolo (departe)
(There, far)

Acela, de *acolo*, este prietenul său.

Aceea, de *acolo*, este prietena sa.

Aceia, de *acolo*, sînt prietenii lor.

Acelea, de *acolo*, sînt prietenele lor.

1. *Întrebaţi!*

Acesta este colegul tău?
Aceasta este colega ta?
Acesta este blocul G 4?
Aceasta este şcoala nouă?
Acesta este blocul Z 20?

Care este fratele tău?
Care este sora ta?
Care este colegul tău?
Care este colega ta?

Răspundeţi!

Da, acesta este colegul meu.
Da, aceasta este colega mea.
Da, acesta este blocul G 4?
Da, aceasta este şcoala nouă.
Nu. *Acesta* este blocul Z 15. *Acela,* de *acolo,* este blocul Z 20.
Acela, de *acolo,* este fratele meu.
Aceea, de *acolo,* este sora mea.
Acela, de *acolo,* este colegul meu.
Aceea, de *acolo,* este colega mea.

2. *Traduceţi în limba română!*

This is my friend.
That is his brother.
This is my school fellow.
That is her sister.

These are my school fellows.
Those are your school fellows.
These are my school fellows (fem.).
Those are your school fellows (fem.).

3. *Traduceţi în limba engleză!*

Acesta este apartamentul nostru.
Aceasta este camera mea.
Acela este fratele meu.
Acela este bunicul meu.
Aceasta este bunica mea.
Acesta este cartierul în care locuiesc.
Aceea este şcoala nouă din cartier.

4. *Citiţi!*

Aceasta
Aceea } este   *a mea, a ta, a sa, a noastră, a voastră, a lor*

Acesta
Acela } este   *al meu, al tău, al său, al nostru, al vostru, al lor*

5. Conversație

Întrebați!	Răspundeți!
Care este camera ta?	... este camera mea.
Covorul acesta este al tău?	Da, covorul... este al meu.
Care este patul tău?	... este patul meu.
Care este dulapul tău?	... este dulapul meu.
Care este tabloul lor?	... este tabloul lor.
Aceasta este biblioteca ta?	Da,... este biblioteca mea.
Care este bucătăria voastră?	... este bucătăria noastră.
Aceasta este fotoliul bunicului tău?	Da,... este fotoliul bunicului.
Aceasta este masa din sufragerie?	Da... este masa din sufragerie.

6. Unde este? Unde se află?

(în dormitor, la fereastră, în bucătărie, în sufragerie)

Unde este așternut covorul?	Covorul este așternut pe jos.
Unde este perdeaua?	Perdeaua este la...
Unde se află patul?	Patul se află în...
Unde este frigiderul?	Frigiderul este în...
Unde este dulapul de haine?	Dulapul de haine este în...
Unde se află masa cu scaunele?	Masa cu scaunele se află în...

7. Scrieți!

În pat mă culc și dorm.
În dulap pun lucrurile de îmbrăcăminte.
În bibliotecă pun cărțile și revistele.
În sufragerie mănînc.
În baie mă spăl.

8. Formați propoziții!

Adrian prezintă lui Dan
{
pe tatăl său
pe mama sa
pe bunicii săi
}

Dan vede
{
apartamentul
sufrageria
camera
}
{
familiei Ionescu
lui Adrian
}

9. *Întrebați!*   *Răspundeți!*

Pe cine vede Dan în   *pe* tatăl lui Adrian
apartamentul lui Adrian?   *pe* fratele...
(Whom does Dan see in   *pe* sora...
Adrian's flat?)   *pe* bunica...
                              pe bunicul...

                              patul lui Adrian
                              dulapul de haine
Ce vede Dan în camera lui Adrian?   biblioteca
(What does Dan see in Adrian's   fotoliul
room?)   tablourile
                              covorul
                              perdeaua

— *Pe cine* vezi în parc?   — În parc văd *pe* colegul meu, *pe* sora
                              lui și *pe* prietena ei.

— *Ce* vezi în parc?   — În parc văd băieți, fete, flori, iarbă
                              verde.

Cît este ceasul?

Florin are un ceas mic, de mînă. Ceasul are două ace. Acul mic arată ora. Acul mare arată minutele. O oră are 60 (şaizeci) de minute.

Maria îl întreabă:

— Cît este ceasul, Florine?

— Acum este ora şapte fix.

— Ceasul tău merge bine?

— Da, merge bine. Totdeauna arată ora exactă.

— Ceasul meu o ia înainte cu cinci minute.

— Ce oră arată acum ceasul tău?

— Acum ceasul meu arată ora şapte şi cinci minute.

— Ceasul nostru din bucătărie rămîne în urmă cu cinci minute. Cînd este ora şapte, el arată ora şapte fără cinci minute.

Vocabular

Cît este ceasul? — *What is the Time?*
ceas de mînă — *wrist watch*
ace (la ceas) — *hands*
acul mic — *the hour hand*
arată ora — *points to the hour*
acul mare — *the minute hand*

minutele — *the minutes*
merge bine? — *does it keep good time?*
fix — *sharp*
ora exactă — *the right time*
şi cinci minute — *five minutes past*
fără cinci minute — *five minutes to*

Expresii uzuale (Everyday phrases)

Ce oră este? — *What is the time?*
Cît este ceasul? — *What is the time?*
Ceasul merge bine. — *The watch keeps good time.*
Ceasul rămîne în urmă. — *The watch is slow.*
Ceasul o ia înainte. — *The watch is fast.*

1. *Ce oră este?*

Este ora
8 fix.

Este ora
... fix.

Este ora nouă
și cinci minute.

Este ora... și
cincisprezece
minute

Este ora zece **fără**
douăzeci de minute.

Este ora... **fără**
șapte minute.

2. *Numărați și scrieți numerele de la 20 la 30*

20	21	22	23
douăzeci,	douăzeci și unu,	douăzeci și doi,	douăzeci și trei,
24	25	26	27
douăzeci și patru,	douăzeci și cinci,	douăzeci și șase,	douăzeci și șapte,
28	29	30	
douăzeci și opt,	douăzeci și nouă,	treizeci.	

3. *Numărați în continuare din zece în zece pînă la 100 (o sută)*

30	40	50	60	70	80	90	100
treizeci,	patruzeci,	cincizeci,	șaizeci,	șaptezeci,	optzeci,	nouăzeci,	o sută

4. *Desenați acele!*

Este ora 12 și 25 de minute.

Este ora 10 fără 15 minute.

Este ora 12 fix.

O zi

Dimineața răsare soarele. Eu mă trezesc din somn. Deschid fereastra și fac gimnastică. Mă spăl și mă îmbrac. Iau micul dejun. La ora șapte și jumătate plec la școală.

La amiază vin acasă de la școală. Iau masa de prînz. După-amiază mă joc, citesc, merg la plimbare.

Seara, după cină, privesc la televizor. La ora nouă mă dezbrac. Îmi pun cămașa de noapte, sting lampa și mă culc în pat. Dorm toată noaptea.

La ora 12 ziua, este amiaza.

La ora 12 noaptea, este miezul nopții.

O zi are 24 de ore.

1. *Citiți!*

Răsare soarele.
E dimineață.

Apune soarele.
Se înserează.

Se întunecă.
Pe cer vedem luna
și stelele. E noapte.

Vocabular

O zi — *A Day*
răsare soarele — *the sun rises*
eu mă trezesc din somn — *I wake up*
iau micul dejun — *I have breakfast*

șapte și jumătate — *half past seven*
la amiază — *at noon*
masa de prînz — *lunch*
după cină — *after supper*

sting lampa — *I put off the light*
miezul nopții — *midnight*
apune soarele — *the sun sets*
se înserează ⎫
se întunecă ⎭ — *it is getting dark*

pe cer — *in the sky*
luna — *the moon*
stelele — *the stars*
e noapte — *it is night*

---

2. *Priviți desenele!*

— Cît este ceasul?
— Este ora nouă.
— Ce face Caterina?
— Caterina se culcă.

— Ce oră este?
— Este ora nouă și douăzeci de minute.
— Ce face Florin?
— Florin doarme în patul său.

3. *Întrebați!*

— Cînd răsare soarele?
— Cînd vii acasă de la școală?
— Cînd privești la televizor?
— La ce oră iei micul dejun?
— La ce oră mănînci de prînz?
— La ce oră cinezi?
— Cum saluți dimineața?
— Cum saluți ziua?
— Cum saluți seara?

Răspundeți!

— *Dimineața* răsare soarele.
— *La amiază* vin acasă de la...
— *Seara* privesc la televizor.
— La ora... iau micul dejun.
— La ora... mănînc de prînz.
— La ora... cinez.
— Bună dimineața!
— Bună ziua!
— Bună seara!

4. *Cînd vă culcați?*

(When do you go to bed?)

— La ce oră te culci?
— Eu mă culc la ora nouă.

— When do you go to bed?
— I go to bed at 9 o'clock.

— La ce oră se culcă sora ta?	— At what time does your sister go to bed?
— Sora mea se culcă la aceeaşi oră.	— My sister goes to bed at the same hour.
— Cînd se culcă părinţii tăi?	— When do your parents go to bed?
— Părinţii mei se culcă mai tîrziu. Bunica se culcă mai devreme.	— My parents go to bed later. My grandmother goes to bed earlier.

5. *Citiţi!*

— Trezeşte-*te*, Mihai! E ora şapte. Du-*te* la baie. Spală-*te* cu apă rece. Îmbracă-*te* repede. Micul dejun *te* aşteaptă.

— Treziţi-*vă*, copii! E ora opt. Duceţi-*vă* la baie! Spălaţi-*vă* cu apă rece! Îmbrăcaţi-*vă* repede! Micul dejun *vă* aşteaptă.

6. *Scrieţi!*

Trezeşte-*te*! (Get up!)　　　　　Treziţi-*vă*! (Get up! (pl.))
Spală-*te*! (Wash yourself!)　　　Spălaţi-*vă*! (Wash yourselves!)
Îmbracă-*te*! (Dress up!)　　　　Îmbrăcaţi-*vă*! (Dress up!)
Du-*te*! (Go!)　　　　　　　　　Duceţi-*vă*! (Go!)

Verbul **a lua**

Eu *iau*　　　　　　　　　　　Noi *luăm*
Tu *iei*　　　　　　　　　　　Voi *luaţi*
El (ea) *ia*　　　　　　　　　Ei (ele) *iau*

7. *Formaţi propoziţii!*

Noi	iei	
Eu	iau	
Tu	ia	micul dejun
El	luăm	masa de prînz
Ei	luaţi	masa de seară
Voi	iau	

Exemplu: *Noi luăm micul dejun.*

8. *Înlocuiţi linia cu verbul corespunzător: iau, iei, ia, luăm, luaţi, iau!*

Eu — o carte din bibliotecă.　　　　Noi — masa de prînz.
Voi — un scaun din sufragerie.　　　El — micul dejun.
Tu — un caiet nou.　　　　　　　　Ele — rochiile din dulap.

9. *Cititi!*

Eu mă culc.

în pat   (Eu mă culc *în pat.*)
la ora nouă   (Eu mă culc *la ora nouă.*)

Tu te culci.

la aceeaşi oră   (Tu te culci *la aceeaşi oră.*)
în camera ta   (Tu te culci *în camera ta.*)

El se culcă.

la ora opt   (El se culcă *la ora opt.*)
mai devreme   (El se culcă *mai devreme.*)

Noi ne culcăm.

la aceeaşi oră   (Noi ne culcăm *la aceeaşi oră.*)
în dormitor   (Noi ne culcăm *în dormitor.*)

Voi vă culcaţi.

la ora unsprezece   (Voi vă culcaţi *la ora unsprezece.*)
tîrziu   (Voi vă culcaţi *tîrziu.*)

Ei se culcă.

la ora douăsprezece   (Ei se culcă *la ora douăsprezece.*)
mai tîrziu   (Ei se culcă *mai tîrziu.*)

Micul dejun

— Mihai, ți-e foame?

— Da, mi-e foame, mamă.

— Micul dejun te așteaptă. Iată pe masă se află pîine, unt, ouă și cafea cu lapte

— Cîte lingurițe de zahăr pun în ceașcă?

— Pune două lingurițe de zahăr. Mănîncă și ouă!

— Mănînc pîine cu unt și beau cafea cu lapte. Ouă nu mănînc. Tu nu bei cafea cu lapte, mamă?

— Nu beau cafea cu lapte. Eu beau ceai.

Vocabular

Micul dejun — *Breakfast*
pîine — *bread*
unt — *butter*
ouă — *eggs*

cafea cu lapte — *coffee and milk*
linguriță, lingurițe — *teaspoon*
zahăr — *sugar*

Un pahar gol.
— Unde este cafeaua
  cu lapte?
— Cafeaua cu lapte
  este în ceașcă.

Iată un pahar!
— Paharul este gol?
— Nu. Paharul este
  plin cu ceai.

— Ce este în ceașcă?
— În ceașcă este ceai.
— Ceaiul este rece?
— Nu. Ceaiul este fier-
  binte.

1. *Scrieți!*

    — Ţi-e foame?   — Mi-e foame.
    — Ţi-e sete?   — Mi-e sete.

Cînd mi-e foame, mănînc. (When **I am** hungry, I eat.)
Cînd mi-e sete, beau. (When I am **thirsty**, I drink.)

2. *Citiți!*

    — Cînd mănînci?
    — Mănînc cînd mi-e foame.
    — Cînd bei?
    — Beau cînd mi-e sete.
    — La ce oră iei micul dejun?
    — La ora şapte şi jumătate iau micul dejun.
    — Cîte linguriţe de zahăr pui în ceaşcă?
    — Eu pun trei linguriţe de zahăr.
    — Ceaiul este *rece?*
    — Nu. Ceaiul este *fierbinte.*
    — Paharul este *gol?*
    — Nu. Paharul este *plin.*
    — Ceaşca este *goală?*
    — Nu. Ceaşca este *plină.*
    — Paharele şi ceştile sînt *goale?*
    — Nu. Paharele şi ceştile sînt *pline.*

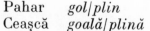

Pahar	*gol/plin*	Pahare	
Ceaşcă	*goală/plină*	Ceşti	*goale/pline*

4. *Puneți în locul liniei adjectivul potrivit!*

Eu iau un pahar — cu apă.
Tu iei un pahar —
Eu beau ceai rece.
Tu bei ceai —

    — Paharele voastre sînt goale?
    — Nu. Paharele noastre sînt— —

Exemplu: *Eu iau un pahar* **plin** *cu apă.*

5. *Ce vedeți în desene?*

— Ce face Mihaela?
— Mihaela taie pîine.

— Ce face Zoica?
— Zoica toarnă lapte
   și cafea în ceașcă.

— Cîte lingurițe de zahăr
   pune Zoica?
— Zoica pune două lingurițe
   de zahăr.

6. *Conversație*

— Îți place cafeaua cu lapte?
— Da. Îmi place.
— Ceaiul îți place?
— Da, îmi place și ceaiul.
— Cît zahăr pui în ceașca cu ceai?
— Pun trei lingurițe de zahăr.
— Bei ceaiul fierbinte?
— Nu. Îl beau cald.

7. *Citiți cuvintele:*

taie
pîine
toarnă
cafea
ceașcă
două

Pronunțați corect diftongii!

cafeaua
ceaiul
bei
obicei
trei
fierbinte

Zilele săptămînii

Învăţătorul arată elevilor o filă de agendă şi-i întreabă:
— Ce este aceasta?
— Aceasta este o filă de agendă.
— Ce este scris pe fila de agendă?
— Pe ea sînt scrise zilele săptămînii.
— Ştiţi cîte zile are o săptămînă?
— O săptămînă are şapte zile.
— Cum se numesc zilele săptămînii?
— Zilele săptămînii se numesc: *luni, marţi, miercuri, joi, vineri, sîmbătă* şi *duminică.*
— Care este prima zi din săptămînă?
— Prima zi din săptămînă este luni.
— Care este ultima zi din săptămînă?
— Ultima zi din săptămînă este duminică.
— Ce urmează după duminică?
— După duminică urmează luni.

Vocabular

Zilele săptămînii — *The Days of the Week*
o filă de agendă — *a page of a note-book*
luni — *Monday*
marţi — *Tuesday*
miercuri — *Wednesday*
joi — *Thursday*

vineri — *Friday*
sîmbătă — *Saturday*
duminică — *Sunday*
prima — *the first*
ultima — *the last*

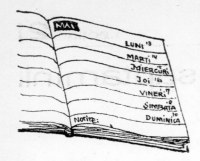

(Zilele săptămînii se scriu cu inițială mică)

Prima zi din săptămînă este l.... După luni urmează m.... După miercuri urmează j.... După sîmbătă urmează d.... D... este ultima zi din săptămînă.

1. *Ce faci săptămîna aceasta?*
   Formați propoziții!

luni	mă duc	la cinematograf
marți	mă duc	la bunici
miercuri	mă duc	la colegul meu
joi	citesc	o carte
vineri	mă joc	cu mingea
sîmbătă	cînt	la pian
duminică	merg	la plimbare

2. Azi *(este)*   Ieri *(a fost)*   Mîine *(va fi)*
   (Today)   (Yesterday)   (Tomorrow)

   — Ce zi *este* azi?   — Ce zi *a fost* ieri?   — Ce zi *va fi* mîine?
   — Azi *este* luni.   — Ieri *a fost* duminică.   — Mîine *va fi* marți.

3. *Înlocuiți punctele cu numele zilei!*

   Ieri a fost joi. Azi este v... . Mîine va fi s... .
   Azi este sîmbătă. Ieri a fost... . Mîine va fi... .
   Mîine va fi miercuri. Azi este... . Ieri a fost... .

4. *Citiți!*

Azi	*Ieri*	*Mîine*
este luni (it is Monday)	*a fost* luni (it was Monday)	*va fi* luni (it will be Monday)
este marți (it is Tuesday)	*a fost* marți (it was Tuesday)	*va fi* marți (it will be Tuesday)
este miercuri (it is Wednesday)	*a fost* miercuri (it was Wednesday)	*va fi* miercuri (it will be Wednesday)

   Verbul arată timpul cînd se face acțiunea. (The verb shows the perioo of time when the action takes place)
   este luni (azi, în **prezent** — present)
   a fost luni (ieri, în **trecut** — past)
   va fi luni (mîine, în **viitor** — future)

Lunile anului

Anul are douăsprezece luni:

ianuarie	februarie	martie	aprilie
(January)	(February)	(March)	(April)

Începe un an nou. E ger.

Ninge. Este frig.

Zăpada se topește. Iată ghioceii!

Cerul este albastru. Cîntă cucul. Înfloresc pomii.

mai	iunie	iulie	august
(May)	(June)	(July)	(August)

Înfloresc trandafirii. Vin rîndunelele.

E cald. Se coc cireșele.

Este foarte cald. Combinele seceră grîul.

Soarele dogorește. Copiii fac plajă.

septembrie (September)	octombrie (October)	noiembrie (November)	decembrie (December)

Cerul este înnorat. Plouă.	Se culeg fructele.	Este frig. Vînătorii vînează iepuri.	Ninge. Este ger. Se sfîrşeşte anul.

Vocabular

Lunile anului — *The Months of the Year*
începe un an nou — *a new year begins*
e ger — *it is freezing*
ninge — *it snows; it is snowing*
e frig — *it is cold*
zăpada se topeşte — *the snow is melting*
cîntă — *is singing*
înfloresc pomii — *the trees are in blossom*
înfloresc trandafirii — *the roses are blooming*
e cald — *it is warm*
se coc — *are growing ripe*
seceră grîul — *reaps the wheat*

dogoreşte — *is burning hot*
copiii fac plajă — *the children are basking in the sun*
înnorat — *cloudy*
plouă — *it rains, it is raining*
se culeg fructele — *fruits are gathered*
este frig — *it is cold*
vînătorii vînează iepuri — *the hunters are hunting hares*
se sfîrşeşte anul — *the year is coming to its end*

1. *Cum scriem şi cum pronunţăm?*

scriem : ianuarie
iunie
iulie

pronunţăm : ia nu a ri i̯e

iu ni i̯e
iu li i̯e

2. Întrebați!

— Cîte luni are anul?
— Care este prima lună a anului?
— Care este ultima lună a anului?
— În ce lună înfloresc pomii?
— În ce lună se seceră grîul?

Răspundeți!

— Anul are... luni.
— Prima lună a anului este...
— Ultima lună a anului este...
— Pomii înfloresc în luna...
— Grîul se seceră în luna...

3. Cîte zile are o lună?

Lunile: *ianuarie, martie, mai, iulie, august, octombrie* și *decembrie* au cîte 31 de zile.

Lunile: *aprilie, iunie, septembrie* și *noiembrie* au cîte 30 de zile.

Luna *februarie* are 28 de zile. Din patru în patru ani are 29 de zile.

Un an are 365 (trei sute șaizeci și cinci de zile) iar din 4 în 4 ani, anul are 366 (trei sute șaizeci și șase de zile).

4. Citiți următoarele numere!

110   154   321   900

o sută zece,   o sută cincizeci și patru,   trei sute douăzeci și unu,   nouă sute,

999   1000   1971

nouă sute nouăzeci și nouă,   o mie,   o mie nouă sute șaptezeci și unu.

5. Înlocuiți punctele cu cuvîntul potrivit!

În aprilie cerul este.... În martie se topește.... În mai... trandafirii. În august... fac plajă. În noiembrie vînătorii vînează....

În luna... este cald. În iulie este foarte.... În august... dogorește.

În noiembrie este frig. În decembrie e ger. În ianuarie e.... În februarie e....

În luna... se coc cireșele. În luna... se culeg fructele. În luna... se topește zăpada. În luna... înfloresc pomii.

Anotimpurile

— Ştiţi cîte anotimpuri are un an?

— Da. Anul are patru anotimpuri: *primăvara, vara, toamna şi iarna.*

— Cum este timpul în lunile: *martie, aprilie şi mai?*

— Primăvara este timp frumos. Se topeşte zăpada. Înverzeşte iarba. Pomii înfloresc. Vin berzele şi rîndunelele.

— Care sînt lunile de vară?

— Lunile de vară sînt: *iunie, iulie şi august.*

— Vara este frig?

— Nu. Vara este foarte cald. Se coc cireşele. Se seceră grîul. Copiii merg la mare şi la munte.

— Ştiţi care sînt lunile de toamnă?

— Da. *Septembrie, octombrie şi*

— Iarna este un anotimp cald?

— Nu. Iarna este anotimpul rece. În

noiembrie sînt **lunile de toamnă.**
Atunci se culeg merele, perele,
strugurii. Se îngălbenesc frunzele.
Vînătorii încep vînătoarea.

lunile *decembrie, ianuarie* și *februarie*
ninge. Copiii se joacă cu zăpadă. E ger.

Vocabular

Anotimpurile — *The Seasons*
primăvară — *spring*
vară — *summer*
toamnă — *autumn*
iarnă — *winter*
Cum este timpul? — *what is the weather like?*
este timp frumos — *it is fine weather*
înverzește iarba — *the grass is growing green*

berzele — *the storks*
la mare — *at the sea-side*
la munte — *in the mountains*
strugurii — *the grapes*
se îngălbenesc frunzele — *the leaves turn yellow*
copiii se joacă cu zăpadă — *the children are playing with snow*

1. *Pronunțați corect cuvintele!*

iu ni e
iu li e
ia nua ri e
au gust
fe brua ri e
oc tom bri e
no iem bri e
de cem bri e

iar na
toam na
foar te
se joa că
vî nă toa re

2. *Întrebați!*

— Care sînt cele patru anotimpuri
  ale anului?
— Care sînt lunile de iarnă?
— Care sînt lunile de vară?
— Care sînt lunile de toamnă și de
  primăvară?

Răspundeți!

— Cele patru anotimpuri ale anului
  sînt: ..., ..., ..., ...
— Lunile de iarnă sînt: ...
— Lunile de vară sînt: ...
— Lunile de toamnă sînt: ...
— Lunile de primăvară sînt: ...

3. *Priviți desenele! Ce anotimpuri reprezintă fiecare desen?*

Viorel face un
om de zăpadă.
Este i . . .

Ana are
ghiocei.
Este p . . .

Radu culege
struguri.
Este t . . .

Combinele
seceră grîul.
Este v . . .

4. *Traduceți în limba română!*

Autumn comes *after* summer.
Spring comes *after* winter.
Ion runs *after* the ball.
I go to the cinema in the *after*noon.

1. *Conversație*

În cîte sîntem astăzi?

Astăzi sîntem în cinci noiembrie.

Cîte zile are luna octombrie?

Luna octombrie are treizeci și una de zile.

Luna noiembrie are tot treizeci și una de zile?

Nu. Luna noiembrie are treizeci de zile.

Care luni au treizeci de zile?

Lunile: aprilie, iunie, septembrie și noiembrie au cîte treizeci de zile.

Luna februarie cîte zile are?

Luna februarie are 28 de zile.
Din 4 în 4 ani are 29 de zile.

Cîte anotimpuri are anul?

Anul are... anotimpuri.

Care anotimp urmează după iarnă?

După iarnă urmează...

2. *Citiți!*

Vara este foarte cald.   Mi-e cald!   Dezbracă-te!

Iarna este ger.   Mi-e frig!   Îmbracă-te!

Toamna și primăvara nu este prea cald și nici prea frig.

Toamna și primăvara plouă adeseori. (It often rains in autumn and spring.)

Vara, cînd este foarte cald, ne îmbrăcăm cu haine subţiri de bumbac, de mătase sau relon.

Iarna, cînd este ger, ne îmbrăcăm cu haine groase de lînă şi de blană.

Expresii uzuale

În cîte sîntem astăzi? — *What date is it today?*
Mi-e cald! — *I am warm.*
Mi-e frig! — *I am cold.*
Îmbracă-te! — *Put on your...*
Dezbracă-te! — *Take off your...*

3. *Cîte persoane, animale, lucruri vedeţi în desene?*
   (How many persons, animals, things, do you see in the drawings?)

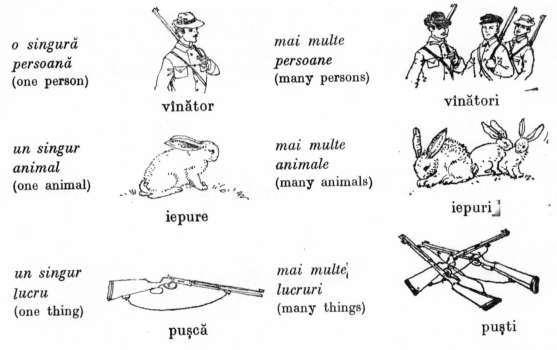

o singură
persoană
(one person)

vînător

mai multe
persoane
(many persons)

vînători

un singur
animal
(one animal)

iepure

mai multe
animale
(many animals)

iepuri

un singur
lucru
(one thing)

puşcă

mai multe
lucruri
(many things)

puşti

Substantivele: *vînător, iepure, puşcă* numesc o singură persoană, un singur animal, un singur lucru. Aceste substantive sînt la **numărul singular** (singular number).

Substantivele: *vînători, iepuri, puşti* numesc mai multe persoane, animale, lucruri. Aceste substantive sînt la **numărul plural** (plural number).

4. *Citiți substantivele următoare și spuneți care sînt la numărul singular și care sînt la numărul plural:*

an, zile, săptămînă, ani, zi, săptămîni, luni, lună, cămașă, haină, haine, cămăși, copil, anotimpuri, anotimp, copii.

5. *Scrieți în locul punctelor substantivele la numărul plural:*

băiat — ... minge — ...

trandafir — ... scaun — ...

cireașă — ... cameră — ...

copil — ... floare — ...

6. *Spuneți care zi lipsește!* (Tell what day is missing!)

luni, marți, joi, vineri, sîmbătă, duminică.

7. *Care luni lipsesc!*

ianuarie, martie, aprilie, mai, iulie, august, noiembrie, decembrie.

8. *Răspundeți la întrebări!*

După vară urmează iarna?
După primăvară urmează toamna?
În ce anotimp înfloresc ghioceii?
În ce anotimp ninge?
Cînd se îngălbenesc frunzele?

9. *Priviți fotografiile!*   *Spuneți ce anotimp arată fiecare!*

Este...   Este...

10. *Din propoziţiile următoare alegeţi pe cele care vorbesc despre toamnă şi scrieţi o compunere cu titlul „Toamna".*

Ninge. Frunzele pomilor se îngălbenesc. Înfloresc pomii. Se culeg fructele: merele, perele, strugurii. Soarele dogoreşte. Cerul este înnorat. Plouă. Este foarte cald. Este frig. Pleacă rîndunelele. Copiii se joacă cu zăpadă. Vînătorii merg la vînătoare.

11. *Cum este vremea?*   (What is the weather like?)

Cerul este albastru.
Soarele străluceşte.
Nu bate vîntul.

Vremea este frumoasă.
Este vreme bună. (fine)

Cerul este înnorat.
Plouă. Bate vîntul.

Vremea este urîtă. (bad)

— Cum *este* vremea *azi?*
— *Azi* este vreme frumoasă.
— Cum *a fost* vremea *ieri?*
— *Ieri a fost* vreme urîtă.
— Cum va fi vremea *mîine?*
— Mîine *va fi* vreme bună.

Rechizite şcolare

— Unde te duci, Mihai?

— Mă duc la librărie.

— Ce cumperi de la librărie?

— Cumpăr: caiete, creioane colorate, o gumă, o linie, un pix şi cerneală albastră.

— Şi eu am fost ieri, la librărie. Am cumpărat un caiet de desen, acuarele, pensule şi un ursuleţ pentru fratele meu.

— Pantofi de gimnastică *ţi*-ai cumpărat?

— Da, *mi*-am cumpărat săptămîna trecută.

— Pantofii mei sînt vechi. Voi cumpăra şi eu săptămîna viitoare, pantofi de gimnastică noi.

— La revedere!

— La revedere!

Iată o gumă.
Cu guma şterg.

Cu creioanele
colorate desenez.

Cu cerneala
albastră scriu.

Eu pictez cu pensulă şi cu acuarele.
Eu desenez pe caiet.

Vocabular

Rechizite şcolare — *Writing Materials*
la librărie — *at the stationer's*
caiete — *copy books*
creioane — *pencils*
cerneală — *ink*

acuarele — *water-colours*
pensule — *brushes*
ursuleţ — *a toy bear, teddy bear*
la revedere — *good-bye*

1. *Citiţi!*

— *Ţi*-ai cumpărat pantofi? (Did you buy (yourself) shoes?)

— *Mi*-am cumpărat. (I've bought)

— *Ţi*-ai cumpărat rechizite şcolare? (Did you buy (yourself) writing materials?)

— *Mi*-am cumpărat. (I've bought)

Cumpăr caiete, creioane, cerneală. (I buy, I am buying)

Am cumpărat pantofi, săptămîna trecută. (I bought)

Voi cumpăra şi eu, săptămîna *viitoare*. (I shall buy)

2. *Formaţi propoziţii cu verbul* **a fi***!*

Acţiunea se face în prezent	Acţiunea s-a făcut în trecut	Acţiunea se va face în viitor
Eu *sînt* . . .	Eu *am fost* . . .	Eu *voi fi* . . .
Tu *eşti* . . .	Tu *ai fost* . . .	Tu *vei fi* . . .
El (ea) *este* . . .	El (ea) *a fost* . . .	El (ea) *va fi* . . .
Noi *sîntem* . . .	Noi *am fost* . . .	Noi *vom fi* . . .
Voi *sînteţi* . . .	Voi *aţi fost* . . .	Voi *veţi fi* . . .
Ei (ele) *sînt* . . .	Ei (ele) *au fost*	Ei (ele) *vor fi* . . .

Exemplu: *Prezent:* Eu *sînt* elev în clasa a patra.

Trecut: Eu *am fost* în clasa a treia.

Viitor: Eu *voi fi* elev în clasa a cincea.

3. *Înlocuiţi punctele cu verbul* **a fi***!* (Fill in the blanks with the verb *to be*)

Anul acesta noi . . . elevi în clasa a doua.

Anul trecut noi . . . elevi în clasa întîi.

Anul viitor noi . . . elevi în clasa a treia.

4. *Formați propoziții!*

Săptămîna trecută	am mers	la cinema
Anul trecut	am fost	în România
Săptămîna viitoare	voi merge	la bunici
Anul viitor	voi merge	cu avionul

5. *Ce vedeți aici?*

un elev — *doi* elevi

un elev

doi elevi

un ursuleț — *doi* ursuleți

un ursuleț

doi ursuleți

un pantof — *doi* pantofi

un pantof

doi pantofi

Substantivele: elev — elevi
              ursuleț — ursuleți
              pantof — pantofi

au o formă la singular: *elev, ursuleț, pantof*
și o altă formă la plural: *elevi, ursuleți, pantofi*

La singular aceste substantive pot avea înainte cuvîntul *un*, *un* elev, *un* ursuleț, *un* pantof;

La plural pot avea înainte cuvîntul *doi*: *doi* elevi, *doi* ursuleți, *doi* pantofi.

Substantivele: *elev*, *ursuleț*, *pantofi* sînt de **genul masculin** (masculine gender).

De genul masculin sînt și substantivele:

Singular	*Plural*
coleg	coleg*i*
elev	ele*vi*
tată	ta*ți*
frate	fra*ți*
munte	mun*ți*
kilometru	kilometr*i*
elefant	elefan*ți*

Substantivele masculine se termină la plural în *i*.

(Masculine nouns have the ending *i* in plural).

Vocabular

au o formă — *have one form*   pot avea înainte — *can be preceded by*

6. *Scrieți pluralul substantivelor masculine:*

trandafir — ...

pompier — ...

român — ...

doctor — ...

ciorap — ...

pantalon — ...

7. *Ce fac ei?*

— Rodica scrie.
— Cu ce scrie ea?
— Ea scrie cu pixul.
— Pe ce scrie Rodica?
— Rodica scrie pe
  caiet.

— Radu desenează.
— Cu ce desenează?
— El desenează cu
  creioane colorate.
— Pe ce desenează?
— El desenează pe
  caietul de desen.

— Sorin pictează.
— Cu ce pictează?
— El pictează cu acuarele
  și cu pensula.

8. *Citiți!*

Eu *scriu* cu pixul.
Tu *scrii* cu creionul.
El *scrie* cu cerneală.
Ea *scrie* pe caiet.

Noi *scriem* românește.
Voi *scrieți* englezește.
Ei *scriu* frumos.
Ele *scriu* repede.

Şcoala

— Bună dimineaţa, doamnă Iliescu: A plecat Dan la şcoală?

— Da, a plecat de cinci minute.

— Adrian pleacă acum. Mă duc şi eu să vizitez şcoala.

— N-aţi vizitat şcoala aceasta nouă din cartier?

— Nu. N-am vizitat-o încă.

— Eu am vizitat-o ieri. Este o şcoală foarte mare. Are multe săli de **clasă** mari şi luminoase. Elevii mici au clasele la **parter**. În sălile de clasă şi pe culoare sînt plante frumoase.

— Aţi văzut şi biblioteca?

— Da. Am văzut şi biblioteca şi sala de gimnastică.

— Aţi vorbit cu profesoarele?

— Am vorbit numai cu profesoara de matematică. Ea este diriginta băieţilor noştri.

— **Astăzi vorbesc şi eu cu dînsa. La revedere!**

Vocabular

Şcoala — *The School*

a plecat Dan? — *has Dan left?*

mă duc şi eu să vizitez — *I am going to visit too*

încă — *yet*

săli de clasă — *classrooms*

mari — *big*

luminoase — *bright*

mici — *small*

parter — *ground floor*

culoare — *corridors*

plante frumoase — *beautiful plants*

aţi văzut biblioteca? — *did you see the library?*

sala de gimnastică — *gymnasium*

aţi vorbit cu profesoarele? — *did you talk to the teachers?*

numai — *only*

cu — *with*

diriginta — *the classmistress*

1. *Pronunțați corect diftongii:*

școa lă	foar te
doam nă	fru moa se
plea că	pro fe soa ra
no uă	cu loa re

2. *Ce fac elevii la școală?*

Elevii citesc, scriu, desenează, cîntă, se joacă, fac gimnastică. La școală elevii învață.

3. *Ce fac învățătorii și profesorii?*

Învățătorii și profesorii explică lecțiile.
Ei întreabă, iar elevii răspund.
Care elev răspunde bine?
Elevul care învață lecția bine, răspunde bine.

4. *Formaţi propoziţii cu verbele următoare:*

pleacă   nu pleacă

a plecat	(nu)	*n*-a plecat
aţi vizitat	(nu)	*n*-am vizitat
aţi văzut	(nu)	*n*-am văzut
aţi vorbit	(nu)	*n*-am vorbit

Exemplu: *Adrian pleacă la şcoală. Adrian nu pleacă la şcoală.*

5. *Întrebaţi apoi răspundeţi:*

— Aţi vizitat *şcoala?*
— N-am vizitat-*o*.
— Aţi văzut *biblioteca?*
— Am văzut-*o*.
— Ai citit *cartea?*
— Am citit-*o*.

— Ai cumpărat *ursuleţul?*
— *L*-am cumpărat.
— Ai băut *ceaiul?*
— *L*-am băut.
— Ai văzut pe *fratele* tău?
— *L*-am văzut.

6. *Citiţi substantivele:*

Şcoală — şcoli; elevă — eleve; clasă — clase; profesoară — profesoare; plantă — plante.

Substantivele: şcoală — şcoli
                  elevă — eleve
                  clasă — clase
                  profesoară — profesoare
                  plantă — plante

au o formă la singular: *şcoală, elevă, clasă, profesoară, plantă* şi una la plural: *şcoli, eleve, clase, profesoare, plante*

La *singular* pot avea înainte cuvîntul *o:*

o şcoală
o elevă
o clasă
o profesoară
o plantă

La *plural* pot avea înainte cuvîntul *două*:

două şcoli

două eleve

două clase

două profesoare

două plante

Substantivele: şcoală, elevă, clasă, profesoară, plantă, sînt de **genul feminin** (feminine gender).

De genul feminin sînt şi substantivele:

mamă — mam*e*   pensulă — pensul*e*

rîndunică — rîndunel*e*   masă — mes*e*

veveriţă — veveriţ*e*   haină — hain*e*

locuinţă — locuinţ*e*

Aceste substantive se termină la plural în *e*.

7. *Citiţi următoarele substantive de genul feminin şi observaţi terminaţiile la singular şi plural.*

singular	*plural*
o floar*e*	*două* flor*i*
o cart*e*	*două* cărţ*i*
o noapt*e*	*două* nopţ*i*
o ming*e*	*două* ming*i*
o lini*e*	*două* linii
o librări*e*	*două* librări*i*

8. *Spuneţi de ce gen sînt următoarele substantive:*

un elev — elevi   o fereastră — ferestre

o elevă — eleve   o uşă — uşi

un an — ani   o dimineaţă — dimineţi

o zi — zile   o stea — stele

o seară — seri   o rachetă — rachete

o lună — luni   o cămaşă — cămăşi

o săptămînă — săptămîni   un pantof — pantofi

9. *Traduceți în limba engleză!*

Tu ai vizitat școala? Ai văzut biblioteca?
Ai vorbit cu diriginta clasei? Ai vizitat sala de gimnastică?

10. *Traduceți în limba română!*

The school is very big. The classrooms are big and bright. There are beautiful
plants on the corridors. The small pupils have their classrooms on the ground
floor. The big pupils have their classrooms on the first floor.

11. *Formați propoziții cu verbul* **a se duce**!

Prezent:		
Eu *mă duc*	la școală	
Tu *te duci*	la librărie	
El *se duce*	acasă	
Ea *se duce*		
Noi *ne ducem*	la cinematograf	
Voi *vă duceți*	la munte	
Ei *se duc*	la bibliotecă	

Trecut:		
Eu *m-am dus*		
Tu *te-ai dus*		
El (ea) *s-a dus*	ieri	la bunici
Noi *ne-am dus*	anul trecut	la munte
Voi *v-ați dus*	vara trecută	la prietenul meu
Ei (ele) *sa-u dus*		

Viitor:		
Eu *mă voi duce*		
Tu *te vei duce*		
El (ea) *se va duce*	mîine	în parc
Noi *ne vom duce*	anul viitor	în România
Voi *vă veți duce*		la școală
Ei (ele) *se vor duce*		

Clasa noastră

— Cum este clasa în care învăţaţi?

— Clasa noastră este mare şi luminoasă.

— Cîte şiruri de bănci aveţi în clasă?

— În clasă avem două şiruri de bănci noi, curate.

— Unde este aşezată catedra învăţătorului?

— Catedra este aşezată în faţa băncilor. Lîngă catedră se **află** scaunul învăţătorului.

— Unde se **află** tabla?

— Tabla se **află** pe peretele de la răsărit.

— Aveţi în clasă cuier şi dulap?

— Da, avem un cuier lung aşezat pe peretele din spre apus. Dulapul este aşezat la peretele dinspre răsărit. Pe peretele de la sud se **află** trei ferestre mari, luminoase. Uşa se **află** spre nord.

— Aveţi flori, tablouri în clasă?

— Da, avem flori la ferestre. Pe pereţi sînt tablouri frumoase. Noi învăţăm cu plăcere în clasa noastră.

Vocabular

Clasa noastră — *Our Classroom*
în care învățați — *in which you learn*
șiruri de bănci — *rows of desks*
unde este așezată? — *where is?*
catedra învățătorului — *the teacher's desk*
în fața — *in front of*
lîngă — *near*
se află — *(there) is*
tabla — *the blackboard*

pe peretele de la răsărit — *on the eastern wall*
cuier — *peg*
dinspre — *from*
apus — *west*
spre — *to, towards*
nord — *north*
sud — *south*
noi învățăm cu plăcere — *we like to learn*

O sală de clasă

un cuier — cuiere

un tablou — tablouri

un dulap — dulapuri

o catedră — catedre

1. *Pronunțați corect sunetul „u": !*

ta blo uri　　　　　　　　　ta blou
tri co uri　　　　　　　　　tri cou
cu ier　　　　　　　　　　　nou
du lap　　　　　　　　　　　ou

2. *Unde este? Unde se află?*

în, *pe*, *lîngă* (in, on, near)

— Unde se află elevul?
— Elevul se află *în* clasă.

— Unde este cartea?
— Cartea este *pe* bancă.
— Unde este banca?
— Banca este *în* clasă.

— Scaunul este *lîngă* tablă?
— Nu. Catedra este *lîngă* tablă, iar scaunul este *lîngă* catedră.

— Unde este creionul?
— Creionul este *în* cutie.
— Unde este cutia?
— Cutia este *pe* carte. Cartea este *sub* cutie.

— Unde se află tabloul?
— Tabloul se află *pe* perete.

Cuvintele: *în, pe, lîngă, sub* sînt **prepoziții**. (The words *în, pe, lîngă, sub* are prepositions.)

3. *Întrebați apoi răspundeți!*

— Unde se află tabla?

— Tabla este pe peretele *de la* **răsărit**.

— Unde se află cuierul?

— Cuierul este pe peretele *de la* **apus**.

— Unde se află dulapul?

— Dulapul se află pe peretele *dinspre* **răsărit**.

— Unde se află ferestrele?

— Ferestrele se află pe peretele *dinspre* **sud**.

Cuvintele *de la* și *dinspre* sînt tot *prepoziții*.
(The Words *de la* and *dinspre* are also prepositions.)

Scrieți!

răsărit sau *est*   *miazăzi* sau *sud*

apus sau *vest*   *miazănoapte* sau *nord*

Sud, Nord, Est, Vest sînt *puncte cardinale* (the cardinal points).

4. *Potriviți adjectivul cu substantivul!*
(Match the adjective to the noun)

clasă	lung
cuier	mare, luminoasă
ferestre	neagră
tablă	noi, curate
bănci	frumoase
tablouri	mari, luminoase

Exemplu: *clasă mare, luminoasă*

5. *Înlocuiți punctele cu prepoziții din textul citit!*

În clasă avem două șiruri ... bănci. Catedra este așezată ... fața băncilor. Scaunul învățătorului se află ... catedră. Cuierul este așezat ... peretele ... apus. Dulapul este așezat ... peretele ... nord. Avem flori ... catedră și ... ferestre. Noi învățăm ... plăcere ... clasa noastră.

6. *Traduceți în limba engleză!*

Cartea este pe masă. Tabla este lîngă catedră. Elevii sînt în clasă. Caietele sînt în dulap. Nicu se duce la școală. Maria vine de la școală. Dan se duce la librărie. Radu vine de la librărie. Pantofii sînt sub scaun.

7. *Numiți obiectele din ilustrații!*

Substantivele: un cuier — două cuiere
un dulap — două dulapuri
un tablou — două tablouri
un scaun — două scaune

au la singular forma:

un cuier
un dulap
un tablou
un scaun — ca substantivele masculine, iar la plural forma:
două cuiere
două dulapuri
două tablouri
două scaune — ca substantivele feminine.

Substantivele: *cuier, dulap, tablou, scaun* sînt de **genul neutru** (neuter gender).

În general, numele de lucruri sînt de genul neutru:

fular, creion, caiet, fotoliu, covor, palton, tricou, avion, tren, vapor, tramvai, troleibuz, tractor, bloc.

8. *Scrieți substantivele feminine corespunzătoare substantivelor masculine următoare:* (Write the feminine correspondents of the following masculine nouns)

un diriginte — o ...   un elev — o ...
un învățător — o ...   un român — o ...
un profesor — o ...   un bunic — o ...

Exemplu: un diriginte — o dirigintă

Lecţiile

Elevii se află în sălile de clasă. Intră învățătorii şi profesorii. Elevii îi salută
Încep lecţiile.

În clasa a patra copiii vorbesc despre ocupaţiile oamenilor.

— Ce ocupaţie au părinţii voştri? întreabă învățătorul.

— Tatăl meu este miner.

— Unde lucrează minerii?

— Minerii lucrează în mină.

— Tatăl tău este inginer, Victore?

— Da. Tatăl meu este inginer metalurgist. El muncește în uzină.

— Dar tatăl tău ce ocupaţie are, Radule?

— Tatăl meu este medic. Medicii lucrează în spitale. Ei îngrijesc oamenii bolnavi

— Toţi oamenii au o ocupaţie. Toţi muncesc. Şi voi, copii, munciţi. Cînd veţ
fi mari, veţi lucra în fabrici, în uzine, în birouri sau pe şantiere, în mine, în şcoli sa
în spitale.

Vocabular

Lecţiile — *The Lessons*	metalurgist — *person working in metallurg*
îi salută — *they greet them*	uzină — *works, plant*
încep — *begin*	medic — *physician*
ocupaţiile oamenilor — *people's professions*	spitale — *hospitals*
miner — *miner*	ei îngrijesc — *they take care of, nurse*
unde lucrează — *where do they work?*	oamenii bolnavi — *the sick*
mină — *mine*	toţi — *all*
inginer — *engineer*	şantier — *construction-site*

1. *Înlocuiţi punctele cu cuvinte din textul citit!*

Elevii se află în ... de ...

Intră ... şi ... Elevi îi ... Încep ...

Copiii vorbesc despre ... oamenilor. Ce o ... au părinţii voştri?

2. *Citiți!*

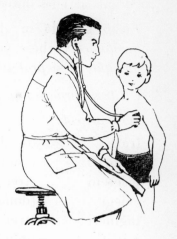

miner
un miner
Mineru*l* muncește în mină.

inginer
un inginer
Ingineru*l* muncește în uzină.

medic
un medic
Medicu*l* lucrează în spital.

un miner (a miner) — mineru*l* (the miner)
un inginer (an engineer) — ingineru*l* (the engineer)
un medic (a physician) — medicu*l* (the physician)

Au venit *niște* mineri.
Am văzut *niște* ingineri.
Vorbesc cu *niște* medici.

Mineri*i* aceștia lucrează aici.
Inginerii au intrat în uzină.
Medici*i* pleacă la spital.

niște mineri (some miners) — mineri*i* (the miners)
niște ingineri (some engineers) — ingineri*i* (the engineers)
niște medici (some physicians) — medici*i* (the physicians)

Substantivele: **un** *miner*, **un** *inginer*, **un** *medic*
niște *mineri*, **niște** *ingineri*, **niște** *medici* sînt articulate cu **articolele nehotărîte** (the indefinite articles) **un, niște.**

Substantivele: *mineru*l, *ingineru*l, *medicu*l,
*mineri*i, *ingineri*i, *medici*i sînt articulate cu **articolele hotărîte** (the definite articles) **l, i.**

3. *Spuneți cu ce articol sînt articulate substantivele subliniate?*
(What articles have the underlined nouns?)

Elevii se află în clasă. *Un elev* deschide ușa. *Profesorul* intră în clasă. *Niște învățători* vorbesc cu *niște elevi* mici.
Învățătorii și *profesorii* explică lecțiile. *Elevul* acesta este *un elev* bun.

4. *Citiți și pronunțați pe silabe substantivele următoare*

fără articol:		cu articol:	
frați	(o silabă)	frații	(două silabe)
bunici	(două silabe)	bunicii	(trei silabe)
prieteni	(trei silabe)	prietenii	(patru silabe)
colegi	(două silabe)	colegii	(trei silabe)
ingineri	(trei silabe)	inginerii	(patru silabe)
mineri	(două silabe)	minerii	(trei silabe)
oameni	(două silabe)	oamenii	(trei silabe)
părinți	(două silabe)	părinții	(trei silabe)
copii	(două silabe)	copiii	(trei silabe)

5. *Răspundeți la întrebări cu cuvinte din textul citit:*

— Unde se află elevii? — Elevii se află ...
— Cine intră în clase? — În clase intră ... și   ...
— Despre ce vorbesc copiii din clasa a patra? — Copiii din clasa a patra vorbesc despre o ...   o ...
— Unde lucrează minerii? — Minerii lucrează ... mină.
— Unde lucrează medicii? — Medicii lucrează ... spitale.
— Unde muncesc inginerii metalurgiști? — Inginerii metalurgiști muncesc în ...
— Unde veți munci voi, copii, cînd veți fi mari? — Cînd vom fi mari, noi vom munci în f ..., în u ..., în b ..., în ș ..., în m ..., pe ș ...

6. *Scrieți!* Toți oamenii au o ocupație.

1. *Cititi:*

Acum	*Anul trecut*	*În anul viitor*
eu *am* zece ani.	am *avut* nouă ani.	voi *avea* unsprezece ani.
tu *ai* nouă ani.	ai *avut* . . . ani.	vei *avea* . . . ani.
el *are* şapte ani.	a *avut* . . . ani.	va *avea* . . . ani.
noi *avem* zece ani.	am *avut* . . . ani.	vom *avea* . . . ani.
voi *aveţi* nouă ani.	aţi *avut* . . . ani.	veţi *avea* . . ani.
ei *au* şapte ani.	au *avut* . . . ani.	vor *avea* . . . ani.

Exemplu: *Acum eu* **am** *zece ani. Anul trecut* **am avut** *nouă ani. În anul viitor* **voi avea** *unsprezece ani.*

Ieri	*Mîine*
Eu *am scris* cu pixul.	Eu *voi scrie* cu cerneală.
Tu *ai scris* cu creionul.	Tu *vei scrie* cu pixul.
El *a scris* cu cerneală.	El *va scrie* cu creionul.
Noi *am scris* pe caiete.	Noi *vom scrie* pe tablă.
Voi *aţi scris* româneşte.	Voi *veţi scrie* englezeşte.
Ei Ele *au scris* englezeşte.	Ei Ele *vor scrie* româneşte.

Exemplu: *Ieri eu am scris cu pixul. Mîine eu voi scrie cu cerneală.*

2. *Formaţi propoziţii:*

Merg	cu	tramvaiul
		trenul
		autobuzul
		vaporul
Ne urcăm	în	elicopter
Ne suim		troleibuz
		tramvai
Coborîm	din	avion

123

Intru	în	dormitor
		clasă
		sufragerie
Vă duceți	la	școală
Veniți	de la	librărie
		cinema
Mă sui	pînă la	etajul opt

3. *Înlocuiți punctele cu prepozițiile:*

la	(to)	Mă duc ... colegul meu.
de la	(from)	Vin de ... colegul meu.
pînă la	(to)	Mă duc pînă ... colegul meu.
lîngă	(near)	Catedra este ... tablă.
		Scaunul este ... catedră.
pe	(on)	Cărțile și caietele sînt ... bancă.
		Lampa este ... masă.
în	(in)	Hainele sînt ... dulap.
		Creioanele sînt ... cutie.
		Elevii intră ... clasă.
din	(from)	Învățătorul iese ... clasă.

4. *Scrieți în trei coloane, după gen, următoarele substantive:*

o linie	— două linii	un creion	— două creioane
un elev	— doi elevi	un profesor	— doi profesori
un pix	— două pixuri	un doctor	— doi doctori
o gumă	— două gume	un cuier	— două cuiere
o carte	— două cărți	o catedră	— două catedre
un caiet	— două caiete	o clasă	— două clase
o bancă	— două bănci	un miner	— doi mineri
un elev	— doi elevi	un inginer	— doi ingineri
un dulap	— două dulapuri	un tablou	— două tablouri
o uzină	— două uzine	un spital	— două spitale
un șantier	— două șantiere	un om	— doi oameni
o fabrică	— două fabrici	un bolnav	— doi bolnavi

Exemplu:

| *Masculin* | *Feminin* | *Neutru* |
| elev — elevi | linie — linii | pix — pixuri |

5. *Citiți textul următor:*

La școală învață mulți copii. Copiii sînt cuminți și silitori. Părinții sînt mulțumiți de fiii lor.

Citiți pe silabe substantivele:

fără articol	*cu articol*
co pii (două silabe)	co pii *i* (trei silabe)
fii (o silabă)	fii *i* (două silabe)

Cînd sînt articulate cu articol hotărît, substantivele *fii* și *copii* se scriu cu trei *i* (fiii = the sons; copiii = the children)

6. *Repetăm vocabularul*

Substantive:

Rechizite școlare: caiete, creioane, gume, linii, acuarele, pensule, cerneală, pix
Mobilier școlar: bănci, catedră, dulap, cuier, scaun, tablă
Puncte cardinale: Est, Vest, Sud, Nord (răsărit, apus, miazăzi, miazănoapte)
Ocupații: învățător, profesor, medic, inginer, miner, șofer, pompier

Verbe:

timpul *prezent:* scriu, citesc, desenez, învăț, muncesc, lucrez, îngrijesc, fac

timpul *trecut:* am scris, am citit, am desenat, am învățat, am muncit, am lucrat, am îngrijit, am făcut

timpul *viitor:* voi scrie, voi citi, voi desena, voi învăța, voi munci, voi lucra, voi îngriji, voi face

Adjective:

mare, luminoasă, frumoasă, nouă, mici, cuminți, silitori, buni, urîtă

Prepoziții:

în, pe, cu, lîngă, sub, la, de la, pînă la, din, de

7. *Întrebați, apoi răspundeți:*

— Ai scris lecția?
— Am scris-o.
— Ai învățat lecția?
— Am învățat-o.
— Ai luat caietul?
— L-am luat.

— *Ți*-ai cumpărat creioane colorate?
— *Mi*-am cumpărat o cutie cu creioane colorate.
— *V*-ați cumpărat acuarele?
— *Ne*-am cumpărat acuarele și pensule.
— Ei *și*-au cumpărat caiete de desen?
— Da, *și*-au cumpărat caiete de desen.

Lecţia 28

Prînzul

Silvia şi mama sa pregătesc masa de prînz.

— Cît este ceasul, Silvia?

— Este ora douăsprezece şi jumătate, mamă.

— La ora treisprezece servim masa de prînz. Eu mă duc la bucătărie. Tu aşterne faţa de masă! Pune apoi patru tacîmuri!

— Ce mîncăm astăzi?

— Astăzi mîncăm supă de pasăre, sarmale, friptură de pui cu salată verde şi struguri.

— Imediat aşez masa.

— Eu aduc pîinea şi supa.

— Adu, te rog, şi solniţa, mamă!

Silvia aşterne faţa de masă.

Vocabular

Prînzul — *Lunch*
servim — *we bring in*
bucătărie — *kitchen*
aşterne faţa de masă — *lay the table cloth*
tacîmuri — *fork, spoon, knife*
supă de pasăre — *chicken soup*
sarmale — *forcemeat rolls of cabbage*

friptură de pui — *roasted chicken*
salată — *salad*
imediat — *immediately*
solniţa — *salt cellar*
coş de pîine — *bread basket*
farfurie adîncă — *soup plate*
farfurie întinsă — *flat plate*

un cuţit — cuţite

o lingură — linguri

o farfurie — farfurii

126

1. *Cițiți!*

   — *Așterne* fața de masă!
   — *Pune* farfuriile pe masă!
   — *Pune* patru tacîmuri!
   — *Adu* paharele!
   — *Adu* coșul cu pîine!
   — *Ai adus* solnița?
   — Te duci la bucătărie?
   — Ce mîncăm astăzi?

   — *Eu aștern* . . . de . . .
   — *Eu pun* . . . pe masă.
   — *Pun* . . . lîngă farfurii.
   — *Eu aduc* . . .
   — Eu aduc . . . cu . . .
   — Imediat *voi aduce* și . . .
   — Da, mă duc la . . .
   — Astăzi mîncăm . . . de . . .
   sarmale . . . de . . . cu . . . verde și . . .

2. *Cițiți întrebările și răspunsurile!*

   — Ce face Silvia?

   — Silvia pune masa.
   — Ea așterne pe masă o față de masă albă.

   — Ce pune pe masă?
   — Silvia pune pe masă

   farfurii adînci și întinse
   linguri
   furculițe
   cuțite
   și pahare

   — Unde se duce mama sa?
   — Ce aduce ea de la bucătărie?

   — Mama se duce la bucătărie.
   — Ea aduce supa, pîine și solnița.

3. *Formați propoziții cu cuvintele:*

   așterne *pe* masă
   se întîlnesc *pe* stradă
   se întîlnesc *pe* drum

4. *La ce folosesc?*

   lingura
   furculița
   cuțitul
   paharul

   Răspundeți!

   Cu lingura și cu furculița mîncăm
   Cu cuțitul tăiem.
   Cu paharul bem.

5. *Cițiți următoarele substantive de gen feminin:*

   singular: *față, masă, furculiță, solniță*
   plural: *fețe, mese, furculițe, solnițe*

Iată **o** fată.
Fata mănîncă.

Iată **o** masă.
Masa este rotundă.

Iată **o** furculiţă şi **o** solniţă.
Furculiţa şi solniţa sînt pe masă?

Substantivele feminine: *fată, masă, furculiţă, solniţă* au primit la *singular* **articolul nehotărît o:**

       o fată — a girl
       o masă — a table
       o furculiţă — a fork
       o solniţă — a salt-cellar

şi **articolul hotărît a:**

       fat**a** — the girl
       mas**a** — the table
       furculiţ**a** — the fork
       solniţ**a** — the salt-cellar

la *plural* substantivele *fete, mese, furculiţe, solniţe* primesc **articolul nehotărît nişte:**

       nişte *fete* — girls, some girls
       nişte *mese* — tables, some tables
       nişte *furculiţe* — forks, some forks
       nişte *solniţe* — salt cellars, some salt-cellars

şi **articolul hotărît le:**

       fete**le** — the girls
       mese**le** — the tables
       furculiţe**le** — the forks
       solniţe**le** — the salt-cellars

Articolul nehotărît (*o, un, nişte*) stă totdeauna înaintea substantivului:

o femeie — (a woman)

un bărbat — (a man)

nişte oameni — (some people)

Substantivele care pot primi articolul nehotărît *o* sînt de *genul feminin* (o bunică, o floare, o şcoală).

Substantivele care pot primi articolul nehotărît *un* sînt de *genul masculin* (un bunic, un strugure, un cocoş) sau de *genul neutru* (un cuţit, un coş, un scaun).

6. *Articulaţi substantivele feminine din paranteză cu articolul* **a** *sau* **le**:

— Unde este (masă)?

— Unde sînt (farfurii)?

— Unde sînt (linguri)?

— Unde este (pîine)?

— Ai adus (solniţă)?

— Ai adus (supă)?

— (Masă) este în sufragerie.

— (Farfurii) sînt în bucătărie.

— (Linguri) sînt pe masă.

— (Pîine) este în coş.

— Da, am adus (solniţă).

— Acum aduc (supă).

7. *Citiţi propoziţiile următoare:*

Treceţi verbul la timpul trecut *(am aşternut)* şi apoi la viitor *(voi aşterne)*:

Eu *aştern* o faţă de masă albă.

Tu *aşterni* o faţă de masă galbenă.

El (ea) *aşterne* o faţă de masă albastră.

Noi *aşternem* o faţă de masă veche.

Voi *aşterneţi* o faţă de masă nouă.

Ei (ele) *aştern* o faţă de masă curată.

Eu *pun* farfuriile.

Tu *pui* lingurile.

El (ea) *pune* furculiţele.

Noi *punem* solniţa.

Voi *puneţi* pîinea.

Ei (ele) *pun* paharele.

8. *Formaţi propoziţii cu verbul* **a aduce** *la cele trei timpuri:*

prezent **(aduc)**, *trecut* **(am adus)**, *viitor* **(voi aduce)**.

Lecția 29

Legume și fructe

— Vrei să mergi cu mine la piață?

— Merg cu plăcere. Ce vrei să cumpărăm?

— Vreau să cumpărăm legume și fructe.

— Ce legume cumpărăm?

— Cumpărăm roșii, ardei și vinete.

— Cartofi nu cumpărăm?

— Nu. Cartofi am cumpărat ieri.

— Mie îmi place mult conopida. Cînd cumpărăm conopidă?

— Vom cumpăra mîine conopidă și dovlecei.

— Știi că și fructele îmi plac.

— Da. Știu că îți plac merele, perele, strugurii și piersicile.

— Și prunele îmi plac. Astăzi ce fructe cumpărăm?

— Azi cumpărăm struguri și piersici. Ai luat sacoșa?

— Da, am luat-o. Putem să plecăm.

Vocabular

Legume și fructe — *Vegetables and Fruits*
vrei să mergi — *will you come*
la piață — *to the market*
cu plăcere — *with pleasure*
roșii — *tomatoes*
ardei — *green pepper*
vinete — *aubergime*
mazăre — *green peas*
cartofi — *potatoes*

conopidă — *cauliflower*
dovlecei — *vegetable marrow*
piersici — *peaches*
prune — *plums*
sacoșa — *net*
ceapă — *onion*
usturoi — *garlic*
morcovi — *carrots*
pătrunjel — *parsley*

Să cunoaştem legumele!

varză   castraveţi   roşii   ardei gras   vinete

cartofi   morcovi   ceapă   mazăre verde

Să cunoaştem fructele!

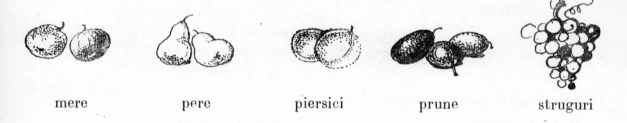

mere   pere   piersici   prune   struguri

1. *Întrebaţi şi răspundeţi!*

— Vrei *să mergi* cu mine?   — Da, vreau *să merg* cu tine.

— Vrei *să cumpărăm* legume?   — Vreau *să cumpărăm* fructe.

— Putem *să plecăm*?   — Da, putem *să plecăm*.

— Îţi place conopida?   — Da, îmi place!

— Îţi plac merele?   — Da, îmi plac!

— Îţi plac piersicile?   — Da, îmi plac!

— Ai luat sacoşa?   — Da, am luat-o!

— Cumpărăm cartofi?   — Nu. Cartofi am cumpărat ieri.

— Cînd cumpărăm conopidă?   — Conopidă vom cumpăra mîine. Tot mîine vom cumpăra şi dovlecei.

2. *Articulați substantivele din paranteză cu articolul hotărît* **i***!*

Mie îmi plac (ardei, dovlecei, cartofi, struguri).

Exemplu: *ardeii*, . . .

Cu ce articol sînt articulate substantivele:
Ție îți plac: *mazărea, ceapa* și *conopida.*
Lor le plac: *roșiile, vinetele, merele, perele, piersicile.*

3. *Ce mîncăm azi?* | *Ce am mîncat ieri?* | *Ce vom mînca mîine?*

Azi, eu mănînc roșii și ardei gras.	Ieri am mîncat cartofi.	Mîine voi mînca conopidă și dovlecei.
Tu mănînci vinete.	Tu ai mîncat mazăre verde.	Tu vei mînca mere și pere.
Ei mănîncă mazăre.	El a mîncat ceapă verde.	El va mînca prune, piersici și struguri.

4. *Formați propoziții!*

Vara Toamna	culegem	cireșe	din cireș (cherry-tree)
		mere	din măr (apple-tree)
		vișine	din vișin (sour cherry-tree)
		piersici	din piersic (peach-tree)
		prune	din prun (plum-tree)
		pere	din păr (pear-tree)

5. *Să cunoaștem pomii și fructele lor!*

Mărul face mere.	Prunul face prune.
Părul face pere.	Piersicul face piersici.
Cireșul face cireșe.	Vișinul face vișine.

Mărul, părul, prunul, piersicul, vișinul, cireșul sînt *pomi fructiferi.*

6. *Întrebați apoi răspundeți!*

Merii		cireșe?
Perii		prune?
Prunii	fac	mere?
Cireșii		vișine?
Vișinii		pere?

Exemplu: *Merii fac cireșe?*
Nu. Merii fac mere.

7. *Traduceţi în limba română!*

Yesterday I bought vegetables and fruits. I like green peas very much. There are many fruits at the market. Tomorrow I'll buy apples, pears and peaches.

— Will you come with me to the market?
— Yes. I'll come with you to the market.
— Do you like grapes?
— Yes, I do.

8. *Traduceţi în limba engleză!*

— Ai luat mere?
— Da, am luat mere.
— Ai cumpărat piersici?
— Da, am cumpărat piersici şi struguri.
— Cînd cumpărăm conopidă şi vinete?
— Mîine vom cumpăra conopidă şi morcovi.
— Mergem azi la piaţă?
— Da, mergem.
— Ai luat sacoşa?
— Da, am luat-o!

conopidă   fasole verde   dovlecei   pătrunjel

Magazinul alimentar

Doamna Ionescu vorbește cu o vecină din apartamentul alăturat.

— Ați vizitat noul magazin alimentar din cartierul nostru?

— Da, l-am vizitat săptămîna trecută. Este un magazin mare, modern, bine asortat. Găsești în el de toate: zahăr, orez, făină, untdelemn și diferite conserve de carne, de legume și de pește.

— Ați făcut și cumpărături?

— Da, am cumpărat cafea, ceai, lămîi, cacao și două borcane cu gem de vișine și de piersici. Soțul meu a cumpărat trei sticle de vin și o sticlă de șampanie.

— Mă duc și eu acum să cumpăr suc de roșii, compot de cireșe și biscuiți. Dacă aveți nevoie de ceva vă pot cumpăra.

— Vă mulțumesc, sînteți foarte amabilă. Astăzi dimineață, însă, am telefonat la Casa de comenzi și aștept să-mi trimită acasă alimentele.

— Și eu procedez la fel cînd cumpăr mai multe alimente. La revedere!

— La revedere!

Vocabular

Magazinul alimentar — *The Food Store*
vecină — *neighbour*
alăturat — *(near)by*
bine sortat — *well stocked*
găsești de toate — *you find everything*
orez — *rice*
făină — *flour*
untdelemn — *comestible oil*
conserve — *tinned food*
carne — *meat*
lămîi — *lemons*
borcane cu gem — *jars of jam*

trei sticle de vin — *three bottles of wine*
șampanie — *champagne*
suc — *juice*
compot de cireșe — *stewed cherries*
biscuiți — *biscuits*
foarte amabilă — *very kind*
am telefonat — *I called up*
casa de comenzi — *shop that supplies things by order*
aștept — *I wait*
procedez la fel — *I do the same*

1. *Citiţi!*

Am cumpărat zahăr.

orez (Am cumpărat *orez*.)

Mă duc să cumpăr făină.

untdelemn (Mă duc să cumpăr *untdelemn*.)
conserve de peşte (Mă duc să cumpăr *conserve de peşte*.)
de legume (Mă duc să cumpăr conserve *de legume*.)

Vă pot cumpăra eu.

lămîi (Vă pot cumpăra eu *lămîi*.)
gem de vişine (Vă pot cumpăra eu *gem de vişine*.)
dacă aveţi nevoie de ceva (Vă pot cumpăra eu, *dacă aveţi nevoie de ceva*.)

Voi cumpăra mîine.

şampanie (Voi cumpăra mîine *şampanie*.)
compot de cireşe (Voi cumpăra mîine *compot de cireşe*.)
suc de roşii (Voi cumpăra mîine *suc de roşii*.)

Am cumpărat o sticlă de vin.

săptămîna trecută (Am cumpărat o sticlă de vin *săptămîna trecută.*)
săptămîna viitoare (Voi cumpăra o sticlă de vin *săptămîna viitoare.*)

Am telefonat

la Casa de comenzi (Am telefonat *la Casa de comenzi.*)
astăzi dimineață (Am telefonat la Casa de comenzi *astăzi dimineață.*)

Aștept să-mi trimită.

acasă (Aștept să-mi trimită *acasă.*)
alimentele (Aștept să-mi trimită acasă *alimentele.*)

Eu procedez la fel.

cînd cumpăr alimente (Eu procedez la fel *cînd cumpăr alimente.*)
mai multe alimente (Eu procedez la fel cînd cumpăr *mai multe alimente.*)

2. *Traduceți în limba engleză!*

— Ați vizitat magazinul din cartierul nostru?
— Da, l-am vizitat.
— Ați făcut și cumpărături?
— Da, am cumpărat conserve de carne, de pește și de legume.

3. *Citiți!*

— Allo! Casa de comenzi?
— Da, aici Casa de comenzi „Unic". Cu ce vă putem servi?
— Notați vă rog: cinci kilograme de zahăr, trei kilograme de orez, șase borcane cu gem, zece litri de vin și cincizeci de ouă.
— Doriți zahăr cubic sau zahăr tos?
— Vreau zahăr tos.
— Ce fel de gem doriți?
— Dați-mi gem de prune.
— Doriți vin alb sau roșu?
— Vreau vin alb de Murfatlar. Cît costă un litru?
— Avem vin cu nouă lei litrul, cu doisprezece lei, cu optsprezece lei litrul și la prețul de douăzeci și nouă lei litrul.
— Dați-mi vin de optsprezece lei litrul.

4. *Cereți vînzătorului!*

   două kilograme de zahăr tos (castor-sugar)
   cinci kilograme de zahăr cubic (lump sugar)
   o jumătate (a half) de kilogram de lămîi.
   un litru de vin *ieftin* (cheap)
   un litru de vin mai *scump* (expensive)
   o cutie (a tin) de conserve de pește.

5. *Traduceți în limba română!*

   Will you give me a litre (un litru) of some of the expensive wine?
   Have you lump sugar?
   Give me, please, half a kilo of biscuits.
   I'd like a jar of jam and a jar of stewed peaches.
   I'd like a tin of green beans and one of green peas.

6. *Articulați substantivele:*

   Mie îmi plac *(fructe)* și *(legume)*.
   Ție îți plac *(conserve)*?
   Ai vizitat *(magazin)* nou din *(cartier)* nostru?
   Aștept să-mi trimită acasă *(alimente)*.
   Toamna se coc *(mere, pere, prune și struguri)*.

Magazinul alimentar (urmare)

Adrian și Dan se întîlnesc în magazinul alimentar, la raionul cu mezeluri și brînzeturi.

— Ce cumperi, Adriane?

— Eu cumpăr salam de Sibiu, șuncă și un pachet de unt. Tu ce ai cumpărat?

— Eu am cumpărat cașcaval, brînză telemea, cîrnați de porc și slănină.

— O! Bine că mi-am amintit. Trebuie să iau și un kilogram de brînză. Mă duc să plătesc la casă.

— Du-te repede! Eu te aștept afară. Mergem împreună spre casă.

Vocabular

urmare — *sequel*
raion — *department*
mezeluri — *salami and sausages*
brînzeturi — *sorts of cheese*
salam de Sibiu — *Sibiu salami*
șuncă — *ham*
cașcaval — *Romanian pressed cheese*

brînză telemea — *cattage cheese*
cîrnați de porc — *pork sausages*
slănină — *bacon*
mi-am amintit — *I've remembered*
repede — *quickly*
te aștept — *I wait for you*
afară — *out (side)*

1. *Înlocuiți punctele cu cuvinte din textul citit!*

Adrian și Dan se întîlnesc în...
Ei se întîlnesc la raionul cu... și...
Adrian cumpără... de Sibiu, ... și un pachet... unt.
Dan a cumpărat cașcaval,... telemea, ... cîrnați... porc și slănină. El trebuie să ia și un ... de brînză...

2. *Formați propoziții!* (Potriviți cuvintele)!

Trebuia să iau	la casă
Mă duc să plătesc	un kilogram cașcaval
Du-te	repede
Eu te aștept	împreună spre casă
Mergem	afară

Din laptele de vacă se prepară: unt, brînză dulce și brînză telemea, cașcaval.

3. *Scrieți!*

Eu *cumpăr* cașcaval. Noi *cumpărăm* slănină.
Tu *cumperi* unt. Voi *cumpărați* șuncă.
El (ea) *cumpără* brînză. Ei (ele) *cumpără* lămîi.

4. *Formați propoziții!*

Astăzi	tu *cumperi* voi *cumpărați*	șuncă și unt brînză
Ieri	tu *ai cumpărat* voi *ați cumpărat*	cașcaval și salam două sute de grame de șuncă
Mîine	tu *vei cumpăra* voi *veți cumpăra*	brînză și unt un pachet de unt

Bogdan *cumpără* Doina *cumpără*	astăzi	slănină salam

El
Ea ⟩cumpără cinci sute de grame de șuncă

Bogdan și Nicu *cumpără*⟩un kilogram de cașcaval
Doina și Ana *cumpără*

Ei ⟩*cumpără* un kilogram de cașcaval
Ele și un kilogram de slănină

El (ea) *a* cumpărat
Ei (ele) *au* cumpărat

El (ea) *va* cumpăra
Ei (ele) *vor* cumpăra

două sute cincizeci de grame de salam

5. *Citiți!*

Trebuie să iau

cașcaval (Trebuie să iau *cașcaval.*)
brînză telemea (Trebuie să iau *brînză telemea.*)
smîntînă (Trebuie să iau *smîntînă.*)

Vreau să cumpăr

salam de Sibiu (Vreau să cumpăr *salam de Sibiu.*)
cîrnați de porc (Vreau să cumpăr *cîrnați de porc.*)

Voi vreți să cumpărați

slănină (Voi vreți să cumpărați *slănină.*)
unt (Voi vreți să cumpărați *unt.*)
brînză (Voi vreți să cumpărați *brînză.*)

6. *Traduceți în limba engleză!*

— Bine că mi-am amintit! Trebue să iau și un pachet de unt. Mă duc să plătesc la casă.
— Du-te repede!
— Așteaptă-mă!
— Te aștept afară.

Mergem împreună	spre casă
	spre școală
	la magazin

Ei se întîlnesc	pe stradă
	în magazin
	la școală
	în troleibuz

7. *Scrieţi!*

— Du-te!

— Mă duc.

— Aşteaptă-mă!

— Te aştept.

— Ţi-ai amintit?

— Mi-am amintit.

— V-aţi amintit?

— Ne-am amintit.

Păsări domestice

În piață au sosit autocamioane cu păsări: cocoși, curci și curcani, rațe, gîște, găini și pui de găină.

— Cumpărăm și noi o pasăre, tată?

— Da. Cumpărăm un curcan. Carnea de curcan este *foarte gustoasă.*

— Dar carnea de găină nu este gustoasă?

— Ba da. Carnea de găină este *cea mai gustoasă.*

— Mie îmi plac toate mîncărurile pregătite cu carne de pasăre.

Acestea sînt *păsări domestice* (These are domestic birds)

| găină, cocoș și pui de găină | curcan | rațe și boboci de rață | gîște și boboci de gîscă |

Vocabular

autocamioane — *lorries*
pasăre — *fowl*
cocoși — *cocks*
curci — *turkey hens*
curcani — *turkey cocks*
rațe — *ducks*
gîște — *hens*
pui de găină — *chickens*

boboci de rață — *ducklings*
boboci de gîscă — *goslings*
gustoasă — *tasty*
foarte gustoasă — *very tasty*
ba da — *oh, yes*
cea mai gustoasă — *the tástiest*
toate mîncărurile pregătite cu carne — *all the dishes of meat*

1. *Desenaţi* un cocoş, un curcan, o raţă.

2. *Citiţi!*

Carnea de pasăre este *gustoasă*.
Carnea de raţă este *mai gustoasă* decît carnea de gîscă.
Carnea de găină este *cea mai gustoasă*.
Carnea de curcan este *foarte gustoasă*.

Cuvintele: *gustoasă, mai gustoasă, cea mai gustoasă, foarte gustoasă* exprimă grade de comparaţie ale aceleiaşi însuşiri. (The words: *gustoasă*... show the degree of comparison of the adjective *gustoasă*.)

3. *Formaţi propoziţii:*

irisul		o floare *frumoasă*
nufărul		o floare *mai frumoasă* decît irisul.
trandafirul	este	*cea mai frumoasă* floare
trandafirul roşu		o floare *foarte frumoasă.*

4. *Scrieţi gradele de comparaţie ale adjectivelor următoare şi apoi formaţi propoziţii:*
mare, luminoasă, cuminte, silitor.

Exemplu: *mare, mai mare, mult mai mare, cel mai mare, foarte mare*
Şcoala noastră este o clădire *mare*.
Liceul vostru este o clădire *mai mare* decît şcoala noastră.
Blocul în care locuiesc eu este o clădire *mult mai mare* decît liceul.
Blocul în care locuieşti tu este clădirea *cea mai mare* din cartier.
Blocul în care locuieşte el este o clădire *foarte marc*.

Repetare

1. *Reamintiți-vă!*

   Legumele : morcovul, varza, mazărea, ardeiul gras, roșiile, vinetele, cartofii, dovleceii.

   Pomii fructiferi : merii, perii, cireșii, vișinii, piersicii, *și fructele lor :* merele, perele, cireșele, vișinele, piersicile.

   Păsările și puii lor : găina, curca, rața, gîsca, cocoșul, curcanul, puii de găină, bobocii de rață, bobocii de gîscă.

   Alimentele : zahăr, făină, orez, conserve de pește, de carne, de legume, untdelemn, biscuiți, sare, gem, compot, suc, vin, șampanie, șuncă, salam, slănină, cîrnați de porc, cașcaval, brînză dulce, brînză telemea, unt, ouă.

   Tacîm : farfurie întinsă, farfurie adîncă, lingură, linguriță, furculiță, cuțit, șervet și pahar.

2. *De cîte ori mîncăm într-o zi?*

   Dimineața luăm micul dejun (dejunul)
   La amiază mîncăm de prînz (prînzul)
   Seara cinăm (cina).

3. *Traduceți în limba română!*

   Lay the table cloth. Put five covers on the table. Cut the bread. Where is the salt cellar? You have forgotten the wine glasses.

4. *Înlocuiți punctele cu nume de fructe și legume :*

   Azi
   Eu *mă duc* la piață *să iau*...
   Tu *te duci* la piață *să iei*...
   El (ea) *se duce* la piață *să ia*...
   Noi *ne ducem* la piață *să luăm*...
   Voi *vă duceți* la piață *să luați*...
   Ei (ele) *se duc* la piață *să ia*...

144

Mîine

Eu *mă voi duce* la piaţă să cumpăr...
Tu *te vei duce* la magazin să cumperi...
El (ea) *se va duce* la magazinul alimentar să cumpere...
Noi *ne vom duce* la piaţă să cumpărăm...
Voi *vă veţi duce* la magazin să cumpăraţi...
Ei (ele) *se vor duce* la piaţă să cumpere...

Ieri

Eu *m-am dus* la piaţă şi *am luat* o...
Tu *te-ai dus* la piaţă şi *ai luat*...
El (ea) *s-a dus* la piaţă şi *a luat*...
Ni *ne-am dus* la piaţă şi *am luat*...
Voi *v-aţi dus* la piaţă şi *aţi luat*...
Ei (ele) *s-au dus* la piaţă şi *au luat*...

6. *Traduceţi în limba engleză!*

Îţi place mărul *pe care* îl mănînci?
Îţi plac strugurii *pe care* i-am cumpărat din piaţă?
Îmi plac toate fructele *pe care* le cumpără mama.
— Dă-mi cartea *pe care* ai citit-o!
— Poftim cartea *pe care* am citit-o!

> pe care

Eu mănînc para *care* este pe farfuria mea.
Tu mănînci para *care* este pe farfuria ta.
— Îţi plac fructele *care* sînt acre?
— Nu. Îmi plac fructele *care* sînt dulci.

> care

7. *Citiţi!*

Din carne şi legume pregătim multe feluri de mîncare:

supă de pasăre — *chicken soup*
supă de roşii — *tomato soup*
supă de legume — *vegetable soup*
borş de miel — *lamb broth, borsch*
pui cu mazăre verde — *chicken with green peas*
pui cu roşii — *chicken with tomatoes*
ciulama de pui — *chicken cooked in white sauce*
pilaf — *pilaff (a dish of rice)*
sarmale — *forcemeat rolls of cabbage*

gîscă cu varză — *goose with cabbage*
salată de ardei copţi — *salad of scalded green peppers*
salată de varză roşie — *salad of red cabbage*
salată de vinete — *aubergine salad*
friptură de curcan — *roasted turkey*
pui la frigare — *chicken roasted on the spit*
mititei — *highly seasoned forcement rolls broiled on the gridiron*
muşchi de vacă — *beefsteak*

8. *Formați propoziții!*

(Înlocuiți punctele cu feluri de mîncare)

Astăzi, luni	mănînc...
Ieri, duminică	am mîncat, la prînz...
Mîine, marți	voi mînca la cină...
miercuri	pregătesc...
joi	vom mînca......
vineri	voi mînca...

Exemplu: *Astăzi, luni, mănînc borș de miel și ciulama de pui.*

9. *Răspundeți la întrebări!*

— Unde ați mîncat ieri, la prînz?
— Ce ați mîncat?
— Ce fel de supă ați cerut?
— Ați cerut friptură de pui sau de curcan?
— Vă plac mititeii sau preferați mușchiul de vacă?
— Doriți salată de ardei copți sau de roșii?
— Ce preferați: friptură de porc sau de vacă?
— Ați mîncat sarmale cu mămăliguță?
— Doriți un vin roșu sau alb?

10. *Scrieți!* (Înlocuiți punctele cu feluri de mîncare)

Eu am mîncat...	Eu voi mînca...	Eu prefer...
Tu ai mîncat...	Tu vei mînca...	Tu dorești...
El a mîncat...	Ea va mînca...	El vrea...
Noi am mîncat...	Noi vom mînca...	Noi dorim...
Voi ați mîncat...	Voi veți mînca...	Voi vreți...
Ei au mîncat...	Ei vor mînca...	Ei preferă...

11. *Puneți întrebări!*

La micul dejun am băut cafea cu lapte.

La prînz vreau să mănînc supă de pasăre, sarmale și friptură de pui cu salată verde.

La cină mănînc șuncă, brînză telemea și salam de Sibiu.

Exemplu: *Ce ai băut la micul dejun?*

Sărbătoare în familie

Familia Iliescu sărbătoreşte aniversarea naşterii lui Dan. El împlineşte zece ani. Se fac ultimele pregătiri înainte de sosirea oaspeţilor. Sora lui Dan o ajută pe mama.

— Mamă, cîte tacîmuri aşez pe masă?

— Socoteşte persoanele pe care le-am invitat la masă!

— Bunica cu bunicul, unchiul cu mătuşa şi cu cei trei copii, vărul Ionel cu soţia şi mătuşa Ana cu verişoara mea Mioara. Sînt unsprezece invitaţi plus tata, tu, Dan şi cu mine. În total vom fi cincisprezece persoane.

— Acum ştii cîte tacîmuri aşezi pe masă?

— Da. Aşez cincisprezece tacîmuri.

— Trebuie să te ajut?

— Nu, mamă! Tu ai atîtea de pregătit la bucătărie!

— Nu mai am multe de făcut. Prăjiturile, tortul, îngheţata şi friptura sînt gata. Acum pregătesc pateurile. Trebuie să le servim calde.

— Pun şi trandafirii pe masă?

— Sigur că da. Trandafirii sînt florile care îi plac lui Dan.

Vocabular

Sărbătoare în familie — *Family Anniversary*
sărbătoreşte — *celebrate*
naştere — *birthday*
el împlineşte 10 ani — *he has reached the age of ten*
pregătiri — *preparations*
sosirea — *the arrival*
oaspeţilor — *of the guests*
socoteşte — *count*
unchi — *uncle*
mătuşă — *aunt*
văr-verişoară — *cousin*

soţia — *wife*
plus — *plus*
prăjituri — *cakes*
tort — (anniversary) *cake*
îngheţată — *ice cream*
friptură — *roasted meat*
pateuri — *pie*
trandafiri — *roses*
tu ai atîtea de făcut — *you have so many things to do*
nu mai am multe de făcut — *I have not many things to do*

1. Citiți!

Fratele mamei este *unchiul* meu.

Sora mamei este *mătușa* mea.

Copiii lor sînt *verii* mei. Ionel este *vărul* meu.

Mioara este *verișoara mea.*

Tata și mama au mai mulți frați și surori. Frații lor sînt *unchii mei*, iar surorile lor sînt *mătușile mele. Bunicul meu* și *bunica mea* sînt bătrîni (old). *Tatăl meu* și *mama mea* sînt tineri (young). *Bunicii mei* au părul alb. *Verișoarele mele* și *verii mei* sînt nepoții bunicilor. *Bunicii mei* au mulți nepoți.

2. Formați propoziții!

(*meu, tău, său, nostru, vostru* = my, your, his, her, our, your)

Unchiul	meu		ofițer (officer)
	tău		aviator (pilot, airman)
	său	este	marinar (sailor)
	nostru		pictor (painter)
	vostru		medic (physician)

(*mea, ta, sa, noastră, voastră* = my, your, his, her, our, your)

Mătușa	mea		funcționară (clerk)
	ta		muncitoare (worker)
	sa	este	artistă (actress)
	noastră		pianistă (pianist)
	voastră		farmacistă (druggist)

(*mei, tăi, săi, noștri, voștri* = my, your, his, her, our, your)

Frații	mei		elevi
	tăi		studenți
	săi	sînt	ingineri
	noștri		elevi
	voștri		studenți

(*mele, tale, sale, noastre, voastre* = my, your, his, her, our, your)

Surorile	mele		mici
	tale		mari
	sale	sînt	frumoase
	noastre		cuminți
	voastre		silitoare

148

3. Răspundeți la întrebări!

Acesta este fratele *tău*?   Acestea sînt verișoarele *tale*?
Aceasta este sora *ta*?   Acesta este unchiul *vostru*?
Aceștia sînt bunicii *tăi*?   Acestea sînt mătușile *voastre*?

4. Întrebați și apoi răspundeți!

Al cui (Whose)	tată bunic frate văr unchi nepot	este?	Al meu. Al tău. Al său. Al nostru. Al vostru. Al lor (al bunicilor).	(mine) (yours) (his, hers) (ours) (yours) (theirs)

Exemplu: Al cui tată este? Al meu.

Ai cui (whose)	părinți bunici frați unchi veri nepoți	sînt?	Ai mei. Ai tăi. Ai săi. Ai noștri. Ai voștri. Ai lor (ai bunicilor).	(mine) (yours) (his, hers) (ours) (yours) (theirs)

Exemplu: Ai cui părinți sînt? Ai mei.

A cui (whose)	mamă bunică soră mătușă verișoară nepoată	este?	A mea. A ta. A sa. A noastră. A voastră. A lor (a bunicilor).	(mine) (yours) (his, hers) (ours) (yours) (theirs)

Exemplu: A cui mamă este? A mea.

Ale cui (whose)	mătuși surori verișoare colege prietene eleve	sînt?	Ale mele. Ale tale. Ale sale. Ale noastre. Ale voastre. Ale lor (ale profesoarelor).	(mine) (yours) (his, hers) (ours) (yours) (theirs)

Exemplu: Ale cui mătuși sînt? Ale mele.

5. *Citiţi substantivele şi adjectivele următoare:*

Masculin	Feminin
un bunic *bătrîn*	o bunică *bătrînă*
un tată *tînăr*	o mamă *tînără*
un băiat *mic*	o fată *mică*
un pantalon *lung*	o fustă *lungă*
un trandafir *roşu*	o floare *roşie*
un cocoş *alb*	o găină *albă*

Adjectivele: *bătrîn, tînăr, mic, lung, roşu, alb* sînt la genul masculin, iar adjectivele: *bătrînă, tînără, mică, lungă, roşie, albă* sînt la genul feminin.

Adjectivul se acordă în gen cu substantivul pe care îl însoţeşte. (The adjective takes the same gender as the noun it qualifies.)

un elev *silitor*	o elevă *silitoare*
un băiat *frumos*	o fată *frumoasă*
un pantalon *albastru*	o rochie *albastră*
un pantof *negru*	o gheată *neagră*

Unele adjective nu se schimbă după genul substantivului.
(Some adjectives do not change after the gender of the noun.)

Exemplu:

Masculin	Feminin	Neutru
elev *cuminte*	elevă *cuminte*	—
pom *verde*	frunză *verde*	creion *verde*
strugure *dulce*	pară *dulce*	măr *dulce*
munte *mare*	apă *mare*	covor *mare*
elevi *cuminţi*	eleve *cuminţi*	—
pomi *verzi*	frunze *verzi*	creioane *verzi*
struguri *dulci*	pere *dulci*	mere *dulci*
munţi *mari*	ape *mari*	covoare *mari*

6. *Formaţi propoziţii:* (Atenţie la acordul adjectivului cu substantivul.)

Am în dulap	un palton	nouă, groasă, verde
	o rochie	nou, gros, verde
Radu este	un băiat	curată, silitoare, cuminte
Anca este	o fată	curat, cuminte, silitor
Am cumpărat	struguri	
	pere	mari, dulci

Parcul Herăstrău

Silvia şi Mihai au venit cu mama şi tatăl lor în frumosul parc Herăstrău. Parcul înconjoară marele lac Herăstrău. Aici este un loc plăcut de odihnă şi de plimbare pentru bucureşteni.

Tata — Copii, vreţi să vă plimbaţi cu barca, sau cu vaporaşul?

Silvia — Eu vreau să ne plimbăm cu vaporaşul.

Tata — Tu ce spui, Mihai?

Mihai — Şi eu vreau să ne plimbăm cu vaporaşul.

Tata — Foarte bine! Ne plimbăm întîi cu vaporaşul, apoi ne ducem la „Roata lumii".
Acolo, la colţul cu distracţii sînt şi avioane şi biciclete pentru copiii cuminţi.
Să auzim ce spune şi mama.

Mama — Am şi eu o propunere. Vreţi să vizităm expoziţia de flori, din parc? Sînt acolo atîtea flori frumoase: flori roşii, albastre, galbene, violet...

Silvia — Da, vizităm expoziţia, dar, vreau să ne plimbăm şi pe aleea trandafirilor.

Tata — Bine, ne vom plimba şi pe aleea trandafirilor!
Acum haideţi la debarcader. Iată, vine vaporaşul!

Mihai — Cumpăr eu biletele, tată!

Tata — Poftim banii, Mihai! Du-te la casa de bilete.
Noi te aşteptăm aici la umbră.

Vocabular

Parcul Herăstrău — *The Herăstrău Park*
înconjoară — *goes round*
lac — *lake*
odihnă — *rest*
plimbare — *walk*
vreţi să vă plimbaţi cu barca? — *do you want to row?*
vaporaş — *small steamer*

distracţii — *amusements*
propunere — *sugestion*
debarcader — *landing stage*
bilete — *tickets*
poftim banii — *here is the money*
casa de bilete — *booking office*
umbră — *shade*

1. *Înlocuiți punctele cu cuvinte din textul citit!*

   Familia Ionescu a venit cu copiii în... parc Herăstrău.

   Parcul înconjoară... lac Herăstrău. Aici este un loc... de odihnă și de plimbare pentru...

2. *Citiți!*

frumosul parc	parcul *frumos*
marele lac	lacul *mare*

   Adjectivul poate să stea înainte sau după substantiv.
   (The adjective can be placed before or after the noun).

   Exemplu: *roșul* trandafir.   trandafirul *roșu*.

   Cînd adjectivul se află înaintea substantivului, se articulează adjectivul.

   Exemplu: frumosu*l* parc.
               mare*le* lac.

3. *Răspundeți la întrebări cu cuvinte din textul citit!*

   Vreți să vă plimbați cu barca sau cu vaporașul?
   Vreți să vizităm și expoziția de flori?

4. *Formați propoziții!*

Vreau să mă plimb	cu vaporașul
	cu barca
	pe aleea trandafirilor
Vreau să vizitez	expoziția de flori

5. *Citiți!*

   Vreau să ne ducem în p...
   Vreau să mă plimb cu v...
   Vrem să ne plimbăm cu b...
   Vreți să vă plimbați pe aleea t...
   Nu vreți să vizitați e... de flori?

   Eu mă plimb pe a... trandafirilor.
   Noi ne-am plimbat cu v...
   Noi ne vom plimba cu b...
   Noi vom vizita expoziția de f... Sînt acolo atîtea flori frumoase: flori r..., a..., g..., v...

152

6. *Scrieţi!*

Azi	Mîine
Eu mă duc în parc.	Eu *mă voi duce* la şcoală.
Tu te duci la expoziţie.	Tu *te vei duce* la unchiul tău.
El (ea) se duce la plimbare.	El (ea) *se va duce* la mătuşa sa.
Noi ne ducem la bunici.	Noi *ne vom duce* la piaţă.
Voi vă duceţi la teatru.	Voi *vă veţi duce* la magazin.
Ei (ele) se duc la cinematograf.	Ei (ele) *se vor duce* acasă.

7. *Citiţi substantivele următoare şi adjectivele care le însoţesc:*

Singular	Plural
copil cuminte	copii cuminţi
expoziţie frumoasă	expoziţii frumoase
vapor mare	vapoare mari
floare galbenă	flori galbene

substantivele: *copil, expoziţie, vapor, floare* sînt la numărul singular şi
adjectivele: *cuminte, frumoasă, mare, galbenă* sînt tot la numărul singular;
substantivele: *copii, expoziţii, vapoare, flori* sînt la numărul plural şi
adjectivele: *cuminţi, frumoase, mari, galbene* sînt tot la numărul plural.

Adjectivele se acordă în număr cu substantivele pe care le însoţesc (The adjectives have the same number as the nouns they qualify).

8. *Acordaţi în gen şi număr adjectivele cu substantivele!*

elevi	bun		trandafir	frumoşi
elev	bună		trandafiri	frumos
elevă	buni		floare	frumoase
eleve	bune		flori	frumoasă

Exemplu: *elev bun*

Radu este un băiat...	bun, bună, buni, bune
Elena este o fată...	cuminte, cuminţi
Elena şi Rodica sînt fete...	silitor, silitori, silitoare
Radu şi Victor sînt băieţi...	

Exemplu: *Radu este un băiat bun, cuminte, silitor*

Roata lumii

Plimbare cu vaporașul în Parcul Herăstrău.

În avioane

Voi cumpăra o rochie...
Am cumpărat pantofi...
Veți cumpăra flori...
Te îmbraci cu cămașă...
Se încalță cu ghete...
Mănînc un măr...
Mănînci o pară...
Pomii au frunze...
Strugurii sînt...

alb, albă, albi, albe
dulce, dulci
mare, mari
verde, verzi

Exemplu: *Voi cumpăra o rochie albă.*

9. *Traduceți în limba engleză!*

Tu de ce taci? Nu vrei să te plimbi cu barca?
Am și eu o propunere. Nu vreți să ne plimbăm cu vaporașul?
Să auzim ce spune și Silvia! Ea vrea să se plimbe pe aleea trandafirilor.
Haideți la debarcader! Iată, vine vaporașul!
Du-te la casa de bilete și cumpără patru bilete.
Unde mă așteptați?
Te așteptăm aici, la umbră.

Telegrama

Dan și părinții săi sînt acasă. Dan citește o carte. Tatăl său citește ziarul. Mama stă în fotoliu și ascultă muzică la radio. Se aude soneria.

— Dane, vezi cine sună la ușă!

— Mă duc repede să deschid.

(Dan se duce la ușă. O deschide. Poștașul îi dă o telegramă)

— Este poștașul, tată! Iată, a adus o telegramă.

— O! E o veste bună de la prietenul nostru din Anglia. Ne anunță că vine în România.

— Cînd sosește?

— Sosește mîine dimineață. Iată ce scrie în telegramă: „Sosesc cu soția și copilul, vineri, ora treisprezece la aeroportul București-Otopeni.

— Tată, pot să te însoțesc la aeroport?

— Sigur, Dane! Mergem împreună. Știu că aștepți cu nerăbdare să-l cunoști pe micul John.

— Trebuie să le reținem un apartament la hotel. La masa de prînz și la cină vor fi invitații noștri, tot timpul cît vor rămîne în București.

— Telefonez îndată la Hotelul Intercontinental. Este cel mai modern și mai mare hotel din București.

— Dane, poftim bani, să cumperi cele mai frumoase flori pentru prietenii noștri.

Vocabular

Telegrama — *The Telegram*
ziarul — *the newspaper*
se aude soneria — *the door bell rings*
cine sună la ușă? — *who is (rings) at the door?*
poștașul — *the postman*

veste — *news*
aeroport — *airport*
aștepți cu nerăbdare — *you are eager to*
să-l cunoști — *to know*
trebuie să le reținem un apartament — *we must engage a flat for them*

1. *Citiți întrebările și răspunsurile. Înlocuiți punctele cu cuvinte din textul citit!*

— Cine a adus telegrama?

— Cînd sosește prietenul din Anglia?

— Pot să te însoțesc la aeroport?

— Unde le reținem camere?

— Telegrama a adus-o...

— Sosește ... dimineață.

— Sigur. Mergem...

— Telefonez... la Hotelul Intercontinental.

2. *Citiți!*

Eu sosesc *acum.*

Tu sosești *mîine dimineață.*

El (ea) sosește *la noapte.*

Mergem *împreună.*

Aștepți *cu nerăbdare.*

Mă duc *repede.*

Noi sosim *astăzi.*

Voi sosiți *astă seară.*

Ei (ele) sosesc *la amiază.*

Telefonez *îndată.*

Găsești *totdeauna.*

Te aștept *aici.*

Privește *acolo!*

Mergi *departe?*

Locuiesc *aproape.*

Cuvintele: *acum, mîine dimineață, la noapte, astăzi, astă seară, la amiază* însoțesc verbele: sosesc, sosești, sosește, sosim, sosiți, sosesc și arată *timpul* cînd se face acțiunea timpului verbului.

Aceste cuvinte sînt *adverbe* (adverbs).

Unele adverbe arată *modul* (the way) cum se face acțiunea verbului:

Mergem *împreună.*

Aștepți *cu nerăbdare.*

Mă duc *repede.*

Alte adverbe arată *locul* unde se face acțiunea verbului:

Te aștept *aici.*

Privește *acolo.*

Mergi *departe.*

Locuiesc *aproape.*

3. *Înlocuiți punctele cu un adverb din paranteză!*

(ieri, împreună, imediat, totdeauna, bine, repede)

Am fost... la aeroport. Prietenul meu a venit... cu soția și copilul. Am telefonat... la Hotelul Intercontinental. Acolo se găsesc... apartamente libere.

John vorbește... românește. Radu a așteptat cu... să-l cunoască pe micul John. Copiii s-au împrietenit...

4. *Formați propoziții!* (Fiți atenți la verbe!)

Hotelul Intercontinental		cel mai mare hotel din București.
Radu	a cumpărat	cele mai frumoase flori.
Aeroportul București-Otopeni	este	cel mai mare aeroport din România.

5. *Traduceți în limba engleză!*

— Vezi, cine sună la ușă?
— Este poștașul, a adus o scrisoare.
— Prietenul nostru ne anunță că vine în România.
— Cînd sosește?
— Sosește mîine la aeroportul București-Otopeni.
— Pot să te însoțesc la aeroport?
— Sigur. Mergem împreună.

6. *Traduceți în limba română!*

I am so eager to know John.

You must engage a flat for them at the hotel.

I am going to call up the „Intercontinental" Hotel right now. I am sure we can always find free flats there.

They will be our guests for dinner and supper as long as they are going to stay in Bucharest.

Here is the money to buy flowers.

7. *Formați propoziții!*

Eu aștept	la aeroport	să sosească	prietenul meu
Tu aștepți	cu nerăbdare	să-l vezi	pe micul John
El (ea) așteaptă	cu plăcere	să vină	oaspeții
	astăzi	să meargă	la aeroport
Noi așteptăm	împreună	să sosească	avionul
Voi așteptați	cu bucurie	să plecați	în România
Ei (ele) așteaptă	aici	să cumpere	

Poștașul	a adus	ieri	o telegramă
	va aduce	mîine	ziarul
	aduce	azi	o scrisoare

8. *Citiți!*

După amiaza tata citește z... Eu citesc o c... Mama ascultă m... la radio.
Ea stă în f.... Se aude s.... Eu mă duc să d... ușa. La ușă este p.... Poștașul
a adus o t.... Este o veste b.... Prietenii noștri din Anglia ne a... că s... în
România. Eu aștept cu n....să-l cunosc pe m... John.

9. *Formați propoziții!*

Trebuie	să reții	o scrisoare
	să scrii	o cameră la hotel
	să te duci	flori
	să cumperi	la aeroport

Sînt sigur	că găsesc	astăzi, prietenii mei
	că primesc	un apartament liber
	că sosesc	o veste bună

Mă duc	repede	să deschid	ușa
Vin	imediat	să închid	fereastra
		să cumpăr	ziarul
		să vorbesc	flori
		să iau	la telefon

La aeroport

Dan împreună cu tatăl său au venit la aeroport să primească oaspeții din Anglia.
Pe aeroportul București-Otopeni avioanele vin și pleacă mereu.

— Tată, cînd sosește avionul de la Londra?

— La ora treisprezece. Mai sînt cinci minute pînă la sosire. Pînă atunci alt avion
se pregătește de plecare.

Aeroportul București-Otopeni

11 — Curs de limba română vol. I — c. 1548

161

— Avionul acela, care decolează acum, pleacă la Paris?

— Da, este un avion al Companiei Air France și pleacă spre Franța.

— Tată, privește sus! Vezi avionul care aterizează ușor?

— Da! E chiar avionul pe care îl așteptăm. Iată, acum coboară pasagerii.

— Unde se duc cu bagajele?

— Se duc mai întîi la biroul vămii.

— Stau mult timp acolo?

— Nu. Uite, oaspeții noștri au și ieșit. Să-i întîmpinăm!

— Bine ați venit, dragi prieteni! Mă bucur că vă revăd.

— Bine te-am găsit! Și noi sîntem bucuroși că te revedem.

— O! Iată și pe John! Ce mare ai crescut, John! Dar, nu v-am prezentat pe fiul meu, Dan!

— Dragă Dane, sper să te împrietenești repede cu John. Lui John îi place fotbalul. Ție îți place?

— Da, îmi place foarte mult. Mă duc deseori cu tata la meciurile de fotbal.

— Acum, vă rog să poftiți în mașină! Soția ne așteaptă cu nerăbdare, la masă.

Vocabular

La aeroport — *At the Airport*
să primească — *to welcome*
pasagerii se urcă — *the passangers are getting in*
decolează — *is taking off*
aterizează — *is landing*
bagajele — *the luggage*
biroul vămii — *the custom-house*
să-i întîmpine — *to meet them*

bine ați venit! — *welcome!*
bine te-am găsit — *I am glad to see you*
ce mare ai crescut! — *you have grown a big boy!*
să te împrietenești — *to make friends*
îi place fotbalul — *he is fond of football*
să poftiți în mașină — *please, come into the car*

---

1. *Citiți!*

Dan a venit la aeroport î... cu tatăl său. La aeroport este un t... i... de călători. Avioanele v... și p... mereu. Mai sînt cinci minute pînă la s... avionului. Un alt avion se pregătește de p... Pasagerii se u... în avion. Avionul acela care d... pleacă la Paris?

2. *Înlocuiți punctele cu adverbe din textul citit!*

Avioanele vin și pleacă m... Tată, privește s... Vezi avionul care aterizează u...? Iată, a... coboară pasagerii.

Sîntem b... că te revedem. Sper să te împrietenești r... cu John. Îmi place f... m... fotbalul. Mă duc d... cu tata la meci.

3. *Întrebați și apoi răspundeți!*

Avionul	care aterizează care decolează pe care îl așteptăm	vine de la Londra? pleacă la Paris? aterizează acum?

4. *Formați propoziții!*

Sper	să vă împrieteniți să te împrietenești	repede	amîndoi cu băiatul meu

5. *Întrebați și răspundeți la întrebări!*

Avionul care decolează pleacă la Paris?
Cînd sosește avionul de la Londra?
Avionul care aterizează vine de la Londra?
Unde se duc pasagerii care au coborît din avion?
Pasagerii stau mult la biroul vămii?
Iată, oaspeții noștri au și ieșit de la biroul vămii.

6. *Traduceți în limba română!*

Welcome, dear friends! We are very glad to see you again. You have grown a big boy, John. This is my son, Dan. I hope you and my son will make friends very quickly. John is very fond of football. Are you fond of football? Yes, I am very fond of football. I often go with my father to football matches.

Please, come into the car. My wife is waiting for us to have dinner.

6. *Citiți!*

— Îți place să călătorești cu avionul?
    — Da, îmi place!
— Îți place aici, la București?
    — Da, îmi place mult!
— Vă place noul aeroport bucureștean?
    — Da, ne place foarte mult.

7. Formați propoziții!

Mă urc		
Te urci		
Se urcă	în	
Ne urcăm		tramvai
Vă urcați		troleibuz
		tren
Cobor		mașină
Cobori		avion
Coboară	din	
Coborîm		
Coborîți		

Exemplu: *Mă urc în tramvai.*

Cobor din tramvai.

8. Scrieți propoziții:

Eu	plec	azi		
Tu	pleci	acum		
El	pleacă	imediat	cu trenul	din gară
Ea		luni	cu mașina	de acasă
Ei	pleacă	joi	cu avionul	de la aeroport
Ele		în fiecare zi	cu tramvaiul	de acasă
Noi	plecăm	la Londra	cu autobuzul	de la școală
Voi	plecați	la București		

Exemplu: *Eu plec azi cu trenul din gară.*

Tata	sosește	în gară	azi
Mama	a sosit	la aeroport	ieri
Fratele meu	va sosi	acasă	mîine
Prietenul meu	vine	de la Londra	acum
Unchiul meu	a venit	de la București	alaltăieri
Vărul meu	va veni	din excursie	poimîine.

9. *Formaţi propoziţii!*

Trenul accelerat		mare
Automobilul	are o viteză	mult mai mare
Avionul		foarte mare

10. *Formaţi propoziţii folosind adverbele:*

    ieri — yesterday
    alaltăieri — the day before yesterday
    mîine — tomorrow
    poimîine — the day after tomorrow

11. Exemplu: *Ieri am fost la gară.*

Repetare

1. *Conversație*

— Ce sărbătoare ați avut în familie?
    — Am sărbătorit ziua de naștere a bunicului.
— Cîți ani are bunicul tău?
    — Bunicul meu are (80) de ani.
— Ce cadouri i-ați dat bunicului?
    — I-am dat un fular, o cravată, o cutie cu țigări și flori.
— Ce ai urat bunicului?
    — Eu am urat bunicului sănătate și ani mulți, fericiți.
— Cîți nepoți și cîte nepoate are bunicul tău?
    — Bunicul meu are zece nepoți și opt nepoate.
— Toți nepoții au felicitat pe bunicul lor?
    — Da. Toți nepoții l-au felicitat. Unii i-au trimis telegrame de felicitare, alții i-au adus flori și cadouri.
— Bunicul s-a bucurat?
    — Da. Bunicul s-a bucurat foarte mult.

2. *Înlocuiți punctele cu cuvintele:* a mea, ale mele, al meu, ai mei:

— Ale cui sînt cărțile din servietă?   — Sînt . . .
— A cui este linia aceasta?   — Este . . .
— Al cui este creionul verde?   — Este . . .
— Ai cui sînt ochelarii?   — Sînt . . .
— Paltonul din dulap este al tău?   — Da, este . . .
— Rochia de aici este a ta?   — Da, este . . .
— Șosetele sînt ale tale?   — Da, sînt . . .

3. *Acordați în gen și număr adjectivele din paranteză cu substantivele alăturate!*

elev, elevă	(bun, bună, buni, bune)
elevi, eleve	(silitor, silitoare, silitori)
copil, copii	(cuminți, cuminte)

băiat, băieţi	(mic, mică, mici)
fată, fete	(harnic, harnică, harnici, harnici)
	(vesel, veselă, veseli, vesele)
	(frumos, frumoasă, frumoşi, frumoase)
bunic, bunică, bunici	(bătrîn, bătrînă, bătrîni, bătrîne)
mamă, mame, tată, părinţi	(tînăr, tînără, tineri, tinere)

Exemplu: *elev bun, elevă bună*

4. *Înlocuiţi punctele cu un adverb!*

— Te duci *departe*? — Nu. Mă duc aici a ...
— Locuieşti *aproape* de parc? — Nu. Locuiesc d ... de parc.
— Casa voastră este *aici*? — Nu. Casa noastră este a ...
— Afară este *cald*? — Nu. Afară este f ...
— Ai venit acasă *devreme*? — Nu. Am venit acasă t ...
— Ai cumpărat *azi* caiete? — Nu. Am cumpărat i ...

5. *Scrieţi propoziţii cu adverbele următoare:*

frig /cald
aici /acolo
aproape /departe
devreme /tîrziu
azi /ieri
înainte /înapoi

Exemplu: Iarna e *frig*.
          Vara e *cald*.

Impresii despre Bucureşti

Domnul Thompson împărtăşeşte amicului său, primele impresii despre oraşul Bucureşti.

— N-am mai fost în Bucureşti din vara anului 1968.

— Anul cînd ne-am cunoscut şi ne-am împrietenit.

— Da, exact! Eram la cursurile de vară de la Sinaia. Cursurile acelea m-au ajutat să cunosc mai bine limba română şi să îndrăgesc poporul român. Excursiile din Moldova, vizitarea staţiunilor de pe litoralul Mării Negre şi zilele petrecute în Bucureşti mi-au lăsat amintiri de neuitat.

— Cum ai regăsit Bucureştiul, acum?

— L-am regăsit mai frumos, cu construcţii noi, moderne. Prima impresie plăcută a fost aterizarea avionului pe marele aeroport Bucureşti-Otopeni. Atît aeroportul cît şi autostrada pe care am venit la Bucureşti sînt demne de admirat.

Grădina Cişmigiu

Bucureşti—Calea Victoriei

— Noul hotel la care locuieşti este confortabil?

— Hotelul Intercontinental este deosebit de elegant şi confortabil. De la fereastra apartamentului în care locuim se deschide o perspectivă largă asupra părţii de sud-vest a oraşului.

— Nici clădirea Teatrului Naţional nu era construită în 1968.

— Da, şi această impunătoare construcţie a constituit o noutate pentru mine. Ieri am făcut o plimbare prin centrul oraşului, împreună cu soţia şi cu băiatul. Le-am arătat Universitatea, Sala Palatului, Muzeul de Artă şi Ateneul Român. N-am putut rezista tentaţiei şi am intrat pentru o jumătate de oră în Grădina Cişmigiu. Am ţinut să-i arăt lui John pelicanii. Soţia a admirat florile şi arbuştii ornamentali din această veche şi atît de frumoasă grădină publică bucureşteană.

Vocabular

Impresii despre Bucureşti — *Impressions about Bucharest*

împărtăşeşte amicului său — *imparts to his friend*

cursurile de vară — *summer courses*

să îndrăgesc — *to become fond of*

poporul — *the people*

vizitarea staţiunilor de pe litoralul Mării Negre — *the visit of the seaside resorts at the Black Sea*

petrecute — *spent*

amintiri de neuitat — *unforgettable memories*

o perspectivă largă — *a large view*

partea de sud-vest a oraşului — *the south-western part of the town*

Teatrul Naţional — *the National Theatre*

impunătoare — *impressing, stately*

Sala Palatului — *The Palace Hall*

Muzeul de Artă — *The art Museum*

Ateneul Român — *The Romanian Atheneum*

n-am putut rezista tentaţiei — *I could not resist the temptation*

Grădina Cişmigiu — *The Cişmigiu Gardens*

am ţinut să-i arăt — *I wanted to show him*

pelicanii — *the pelicans*

arbuşti — *shrubs*

1. *Citiţi!*

Eu împărtăşesc prietenului mei impresii despre Bucureşti.
El împărtăşeşte amicului său impresii despre Bucureşti.
Noi împărtăşim prietenilor noştri impresii despre România.

2. *Conversaţie*

— Unde v-aţi cunoscut?
    — Ne-am cunoscut la Sinaia în vara anului 1968.
— Cînd v-aţi împrietenit?
    — Ne-am împrietenit în vara aceea.
— Ce amintire v-a lăsat vizita în România?
    — Vizita în România mi-a lăsat amintiri de neuitat.
— V-a plăcut litoralul românesc al Mării Negre?
    — Da, mi-au plăcut toate staţiunile de pe litoral.
— Cum aţi regăsit Bucureştiul?
    — L-am regăsit mai frumos, cu multe construcţii, noi, moderne.

— Ce spuneţi de noul aeroport de la Otopeni?

    — Este un aeroport mare, demn de admirat.

— Hotelul Intercontinental este confortabil?

    — Da. Acest hotel elegant oferă şi o perspectivă largă asupra oraşului.

— Aţi vizitat clădirea nouă a Teatrului Naţional?

    — Încă nu am vizitat-o.

— Vă invit mîine seară la spectacol.

    — Primesc cu multă plăcere.

— Aţi făcut azi o plimbare prin centrul Bucureştiului. Ce aţi revăzut?

    — Am revăzut Universitatea, Muzeul de Artă, Sala Palatului şi Ateneul Român.

— Nu aţi intrat în Cişmigiu?

    — Ba da. N-am putut rezista tentaţiei şi am intrat pentru a admira florile, lacul, copacii bătrîni, arbuştii ornamentali.

— Fiul dumneavoastră n-a dorit să se plimbe cu barca?

    — Nu. Fiului meu am ţinut să-i arăt pelicanii. Lui îi plac mult aceste păsări.

3. *Formaţi propoziţii! Legaţi aceste propoziţii cu* **conjuncţiile** (conjunctions) *şi, dar, iar.*

Am vizitat	Grădina Cişmigiu	şi	m-am plimbat	cu barca
	Parcul Herăstrău	dar	nu m-am plimbat	cu vaporaşul
	Teatrul Naţional	iar	tu ai vizitat	Ateneul Român
	Sala Palatului	şi	am văzut	un film

Exemplu: *Am vizitat Grădina Cişmigiu* **şi** *m-am plimbat cu barca.*

4. *Traduceţi în limba engleză!*

Am fost pe Litoralul Mării Negre *şi* am vizitat cîteva staţiuni foarte frumoase. Am văzut cîteva cartiere noi din Bucureşti *dar* nu le-am văzut pe toate. În vara aceasta am vizitat oraşul Bucureşti *iar* în vara viitoare voi vizita alte oraşe din România.

5. *Înlocuiţi punctele cu o conjuncţie!*

Eu sînt elev în clasa a doua ... tu eşti în clasa a patra.
Eu am şapte ani ... tu ai nouă ani.
Eu am o soră ... nu am un frate.
Tu ai un frate ... nu ai o soră.

6. *Traduceți în limba română!*

I could not resist the temptation and I entered the Cișmigiu Gardens! I showed my son the pelicans. My wife admired the flowers and the ornamental shrubs of that old and so beautiful public garden of Bucharest.

7. *Scrieți!*

Anul trecut	eu *eram* pe litoral iar voi *erați* la munte.
	tu *erai* la Sinaia iar noi *eram* la București.
	el *era* acasă iar ei *erau* în excursie.

8. *Înlocuiți punctele cu verbul potrivit* (eram, erai, era, erau, erați)

Anul trecut	eu ... în clasa întîi iar tu ... în clasa a doua.
	noi ... în clasa întîi iar voi ... în clasa a doua.
	el ... în clasa a patra iar ea ... în clasa a cincea.
	ei ... în clasa a patra iar ele ... în clasa a cincea.
Ieri	cînd noi ... la școală, voi ... acasă.
	cînd tu ... la cinema, eu ... la teatru.
	cînd sora ta ... în parc, părinții tăi ... la expoziție.

9. *Eleva povestește:*

Cînd *eram* mică, dumineca *mă duceam* cu părinții în parc. Acolo *ne plimbam*, *priveam* florile, *ne jucam* cu mingea. Ei *aruncau* mingea, iar eu o *prindeam*. Cînd *oboseam*, *ne așezam* pe bancă și *ne odihneam*.

Seara *veneam* acasă. După ce *mîncam*, *ascultam* muzică la radio sau *priveam* la televizor. La ora opt eu *mă culcam*. Tata și mama *citeau*, *vorbeau* sau *lucrau*.

Verbele: *eram*, *mă duceam*, *ne plimbam*, *priveam*, *ne jucam*, *arunca*, *prindeam*, *oboseam*, *ne așezam*, *ne odihneam*, *veneam*, *mîncam*, *ascultam*, *mă culcam*, *citeau*, *vorbeau*, *lucrau* sînt la timpul trecut (**imperfect**).

10. *Citiți!*

eu aruncam, priveam, veneam, mîncam, mă jucam, mă culcam
tu aruncai, priveai, veneai, mîncai, te jucai, te culcai
el (ea) arunca, privea, venea, mînca, se juca, se culca
noi aruncam, priveam, veneam, mîncam, ne jucam, ne culcam
voi aruncați, priveați, veneați, mîncați, vă jucați, vă culcați
ei (ele) aruncau, priveau, veneau, mîncau, se jucau, se culcau

Palatul pionierilor

Dan face un film despre Palatul Pionierilor. Acum l-a invitat pe John să vizioneze secvențe din film.

John privește și ascultă cu interes explicațiile lui Dan.

— Acesta este Palatul nostru, al pionierilor. Aici își petrec timpul liber mii de elevi bucureșteni.

— Cum își petrec timpul?

— Vei vedea îndată. Fiecare pionier face parte dintr-un cerc de activitate: aeromodelism, radio, electronică, croitorie, tîmplărie, gospodărie, teatru, muzică și coregrafie. În afară de aceste activități practice, mai sînt: cercuri de matematică, de literatură, fizică, chimie, geografie și istorie și cercul micilor naturaliști.

— Pionierii nu fac și sport!

— Ba da! Fac toate sporturile; atletism, natație, patinaj, drumeție, tenis de masă și de cîmp, volei, baschet și fotbal. Iată acum o secvență din activitatea constructorilor de aeromodele:

— Planorul acesta este foarte interesant.

— Aceștia sînt pionierii din cercul de electronică. Iată robotul construit de ei.

— E un robot foarte reușit.

— Iată și balerinele de la cercul de coregrafie.

— Sînt frumoase și talentate!

— Urmează o secvență interesantă!

— Da, e un concurs de înot.

— Și acum, tenis de masă.

— Ai și o secvență cu fotbal?

— Da. Am o secvență din meciul cîștigat de pionieri. Echipa noastră a înscris trei goluri. Echipa de elevi cu care a jucat, n-a marcat nici un gol.

Iată și această secvență și ultima, realizată pînă acum.

— Aveți activități foarte plăcute și interesante la Palatul Pionierilor!

Palatul Pionierilor

Vocabular

Palatul Pionierilor — *Young Pioneers' House*
face parte dintr-un cerc — *is a member of a
circle of studying*
să vizioneze — *to see, to watch (a film)*
secvenţe — *sequences*
timpul liber — *spare time*
mii de elevi — *thousands of pupils*
aeromodelism — *airplane-model building*
croitorie — *sewing courses*
tîmplărie — *joinery, woodwork*
gospodărie — *housekeeping*
teatru — *theatre*
muzică — *music*
coregrafie — *choreography*
matematică — *mathematics*

literatură — *literature*
fizică — *physics*
chimie — *chemistry*
istorie — *history*
geografie — *geography*
micii naturalişti — *young naturalists*
nataţie, înot — *swimming*
patinaj — *skating*
drumeţie — *travelling, hiking*
tenis de masă şi de cîmp — *table and lawn
tennis*
concurs — *competition*
echipa — *team*
a înscris (a marcat) gol — *scored a goul*

1. *Legați propozițiile cu cuvintele potrivite!*

Eu fac parte din cercul de aeromodelism. ... tu faci parte din cercul de electronică.

Noi am construit un planor ... voi ați construit un robot. Voi faceți parte din cercul micilor naturaliști ... noi activăm în cercul de literatură.

Dan face parte din cercul de istorie ... îi place și tenisul de masă.

Mioara activează în cercul de croitorie ... îi place și baletul.

Mircea face parte din echipa de fotbal ... a marcat multe goluri.

2. *Citiți!*

John ascultă *cu interes* explicațiile lui Dan.

Planorul acesta este *foarte interesant*.

Aveți activități foarte plăcute și *interesante* la Palatul Pionierilor.

Urmează o secvență *interesantă*.

3. *Formați propoziții!*

Ascultă	*cu interes*	explicațiile profesorului
Privește		robotul construit de pionieri
Citește		o carte de geografie
Planorul	este	*interesant*
Cartea		*interesantă*
Roboții	sînt	*interesanți*
Secvențele de film		*interesante*

4. *Răspundeți la întrebări cu cuvinte din textul citit!*

Cum ascultă John explicațiile lui Dan?

Pionierii nu fac și sport?

Ce sporturi fac pionierii?

Cum este robotul construit de pionieri?

Cum sînt balerinele?

Cîte goluri a înscris echipa de fotbal a pionierilor?

Cîte goluri a marcat echipa de elevi?

Cum sînt activitățile pionierilor?

5. *Înlocuiți punctele cu cuvintele potrivite!*

La Palatul Pionierilor își petrec t... l... mii de elevi. Fiecare elev face parte dintr-un c... de activitate. La Palatul Pionierilor sînt multe cercuri de activități:

	aeromodelism		matematică
	r...		l...
Cerc de	e...	cerc de	i...
	c...		g...
	t...		f...
	g...		c...

Balerinele activează în cercul de c...

6. *Cum este corect?*

băiat	talentată	un concurs	interesantă
fată	talentat	o activitate	interesant
fete	talentați	filme	interesanți
băieți	talentate	roboți	interesante

Plecarea în excursie

Domnul și doamna Thompson împreună cu fiul lor se află la hotel. Ei se pregătesc să plece la Sinaia și de acolo, la Poiana Brașov.

Domnul Ionescu a venit să-i conducă la gară.

— Vă rog să mă iertați! Am întîrziat cinci minute față de ora fixată, dar am cumpărat biletele de tren de la Agenția de voiaj C.F.R. Iată-le!

— Îți mulțumesc! Deci nu este cazul să ne grăbim.

Hotelul Intercontinental din București

— Nu. Avem destul timp. Geamantanele sînt pregătite?

— Da. Le-am trimis jos, la poartă.

— Atunci, vă invit să mergem la gară.

Au ajuns la Gara de Nord. Domnul Thompson întreabă:

— Intrăm în sala de așteptare?

— Nu. Mergem direct pe peron. Cred că acceleratul se află acolo. Mai sînt zece minute pînă la plecarea trenului. Iată, acela este trenul cu care veți călători!

— Este un tren electric!

— Da. Locomotiva Diesel electrică pe care o vedeți este construită în România și se bucură de apreciere în țară și peste hotare. Poftiți! Acesta este vagonul indicat pe bilete.

— Ce locuri ocupăm?

— Ocupați locurile de lîngă fereastră. În timpul călătoriei veți putea admira varietatea peisajului: șesul, dealurile, munții.

— Îmi permiteți, doamnă, să deschid fereastra?

— Da, desigur! În compartiment este foarte cald.

— Vă urez *Drum bun!*

— Îți mulțumim! La revedere!

Îți vom telefona cînd vom ajunge la Poiana Brașov.

Vocabular

Plecarea în excursie — *Going on a Trip*

să-i conducă la gară — *to see them to the station*

vă rog să mă iertați — *I am sorry/excuse me*

am întîrziat — *I am late*

ora fixată — *the appointed time/hour*

Agenția C.F.R. — *Romanian Railway Agency*

nu este cazul — *it is not the case/it is not necessary*

geamantanele — *suitcases*

la poartă — *at the front-door*

sala de așteptare — *waiting room*

peron — *platform*

acceleratul — *the fast train*

este construită — *is made*

se bucură de apreciere — *is appreciated*

peste hotare — *abroad*

vagon — *carriage*

ce locuri ocupăm? — *what are our seats?*

peisaj — *landscape*

șes — *plain*

dealuri — *hills*

munți — *mountains*

îmi permiteți? — *may I . . . ?*

desigur — *certainly*

compartiment — *compartment*

vă urez — *I wish you*

drum bun — *a good journey*

îți vom telefona — *we'll call you up*

---

1. *Răspundeți la întrebări cu cuvinte din textul citit!*

   — Unde se află familia Thomson?
   — Unde se pregătesc să plece?
   — Cine a venit să-i conducă la gară?
   — De ce a întîrziat domnul Ionescu?
   — Cu ce tren au plecat la Sinaia?
   — Ce locuri au ocupat în compartiment?

2. *Rețineți expresiile!*

   — *Vă rog să mă iertați, că am întîrziat ...*
   — *Nu este cazul să ne grăbim.*
   — *Avem destul timp. Vă invit să mergem*
   — *Îmi permiteți să deschid fereastra?*

3. *Citiți!*

Am cumpărat *biletele*. Iată-*le*.
Unde sînt *geamantanele*? *Le*-am trimis jos, la poartă.
Ai primit *biletele* de tren? *Le*-am primit.
Ai pregătit *geamantanele*? *Le-am* pregătit
Ai plătit *biletele*? *Le*-am plătit.
Ai deschis *fereastra*? Am deschis-*o*.
Ai văzut *munții*? *I*-am văzut.
Ai admirat *peisajul*? *L*-am admirat.

4. *Formați propoziții!* Fiți atenți la cuvinte!

Acesta		hotelul	în care	veți călători
		trenul	cu care	veți locui
Aceasta	este	mașina	cu care	vom merge la gară
Acestea	sînt	biletele	pe care	îi veți admira
Aceștia		munții	pe care	le-am cumpărat
		locurile	pe care	le veți ocupa

Exemplu: *Acesta este hotelul în care veți locui.*

5. *Conversație*

   — Plecați în excursie?
   — Călătoriți cu trenul?

   — Da, plec într-o excursie la munte.
   — Da, voi călători cu trenul pînă la Sinaia.

— Cînd plecați?

— Plec mîine dimineață din Gara de Nord.

— Cumpărați biletul de tren de la casa de bilete din gară?

— Nu, l-am cumpărat azi de la Agenția de voiaj C.F.R.

— Ați cerut loc la fereastră?

— Da. Îmi place să admir de la fereastră varietatea peisajului: șesul, dealurile, munții.

— Cît stați la munte?

— Voi sta o săptămînă.

— Vă place să urcați pe munte?

— Da, îmi place foarte mult.

— Urcați ușor?

— Da, urc foarte ușor, dar cobor mai greu.

— Aveți bocanci buni?

— Da. Mi-am cumpărat o pereche de bocanci foarte buni.

— Luați multe geamantane în excursie?

— Nu iau decît un rucsac în spate. În el pun cîteva lucruri necesare: un pulovăr, o pijama, o cămașă, ciorapi, un prosop, săpun, periuță de dinți și pastă de dinți, mașina de ras, cîteva batiste și trusa medicală.

6. *Formați propoziții!*

Munții		verde
Șesul	sînt	foarte înalți
Vremea	este	foarte frumos
Peisajul		foarte frumoasă

7. *Răspundeți la întrebări!*

— Unde pleci în excursie?
— Cînd vei pleca?
— Cu ce vei merge?
— Cum este vremea la munte?
— Cine vă conduce la gară?
— Ai cumpărat biletele de tren?
— La ce oră pleacă trenul?
— Îți place să mergi cu trenul?

La telefon

— Alo! Îți telefonez din Poiana Brașov, Victore!

— O! Mă bucur nespus, dragul meu! Cum vă simțiți acolo?

— Ne simțim foarte bine. Este o vreme admirabilă: cer albastru, soare, **aer curat**, și un peisaj minunat: munți, brazi, pajiști cu iarbă verde și flori.

— Cum a fost la Sinaia?

— Și acolo am avut vreme frumoasă. Am vizitat Castelul Peleș și muzeul, ne-am urcat la Hotelul Alpin și de acolo la Cota 1500. Seara am coborît la Sinaia. Soția și John au fost încîntați de tot ce au văzut.

— Ce program aveți la Poiana Brașov?

— Vom vizita orașul Brașov. Vom face o plimbare cu telefericul să admirăm măreția munților și, bineînțeles, vom mînca într-o seară la restaurantul *Șura Dacilor.*

— Duminică vom veni și noi la Poiana Brașov. Vom merge împreună să vă arătăm împrejurimile Brașovului.

— Vă așteptăm cu multă dragoste. Pînă atunci îți spun *la revedere!*

— La revedere și petrecere frumoasă!

Vocabular

La telefon — *On the Telephone*
alo — *hullo!*
îţi telefonez — *I call you up*
mă bucur nespus — *I am very glad*
vreme — *weather*
aer curat — *fresh air*
brazi — *fir-trees*
pajişti — *lawns*
iarbă — *grass*
Castelul Peleş — *The Peleş Palace*
ne-am urcat — *we climbed*

cota 1500 — 1500 *meters altitude*
încîntaţi — *enchanted*
măreţia — *grandeur*
bineînţeles — *naturally*
şură — *shed*
Daci — *The Dacians*
împrejurimile — *surroundings*
dragoste — *love*
pînă atunci — *until then*
petrecere frumoasă — *have a good time!*

---

1. *Întrebaţi!*

Cum vă simţiţi?

Cum este vremea?

Vă place la munte?

Ce faceţi la munte?

Răspundeţi!

Ne simţim foarte bine.
Ne simţim bine.
Nu ne simţim bine.
Ne simţim rău.

Este o vreme admirabilă.
Este o vreme frumoasă.
Este o vreme foarte bună.
Este vreme rea.
Este vreme urîtă.

Da. Este soare, cer albastru, aer curat, brazi, pajişti cu iarbă verde şi flori.
Nu. Acum plouă, cerul este înnorat, bate un vînt rece şi este frig.

Facem excursii şi plimbări cu telefericul, admirăm măreţia munţilor, stăm la soare sau culegem flori.
Dacă va fi timp urît, vom sta în cabană, vom juca jocuri distractive, vom asculta muzică şi vom dansa.

Poiana Brașov

2. *Formați propoziții!*

Vom merge	să vizităm	orașul Sinaia
împreună	să vă arătăm	împrejurimile orașului
	să mîncăm	la restaurantul Șura Dacilor

3. *Înlocuiți punctele cu cuvinte potrivite din textul citit!*

   La Sinaia am vizitat orașul, Castelul P... și m... Ne-am urcat la H... A... și de acolo la... 1500. Am fost ... de tot ce am văzut. Seara am ... în Sinaia.

4. *Traduceți în limba engleză expresiile:*

Cum vă simțiți?
Mă bucur nespus!
Vă așteptăm cu multă dragoste.
Pînă atunci, îți spun *la revedere*!
Petrecere frumoasă!

5. *Formați propoziții folosind și adverbele următoare:*
bine, foarte bine, rău, împreună, mîine, poimîine

6. *Formați propoziții folosind și adjectivele următoare:*
admirabilă, frumoasă, rea, urîtă, rece, înnorat, verde, albastru, curat.

183

pag. 42.

2. *Traduceți în limba română!*
   Eu văd cu ochii.
   Mănînc și vorbesc cu gura.
   Miros cu nasul.
   Aud cu urechile.
   Lucrez cu mîinile.
   Merg și alerg cu picioarele.

pag. 81.

2. *Traduceți în limba română!*
   Acesta e prietenul meu.
   Acela este fratele lui.
   Acesta este colegul meu.
   Aceea este sora ei.
   Aceştia sînt colegii mei.
   Aceia sînt colegii mei.
   Acestea sînt colegele mele.
   Acelea sînt colegele mele.

pag. 82.

5. *Răspundeți!*
   Aceasta este camera mea.
   Da. Covorul *acesta* este al meu.
   Acesta este patul meu.
   Acesta este tabloul meu.
   Da. *Aceasta* este biblioteca mea.
   Da. *Aceasta* este bucătăria noastră.
   Da. *Acesta* este fotoliul bunicului.
   Da. *Aceasta* este masa din sufragerie.

pag. 100.

4. *Traduceți în limba română!*

Toamna vine după vară.
Primăvara vine după iarnă.
Ion aleargă după minge.
Mă duc la cinema după amiază.

pag. 103.

5. *Scrieți în locul punctelor substantivele la numărul plural!*

băiat — băieți
trandafir — trandafiri
cireașă — cireșe
copil — copii

minge — mingi
scaun — scaune
cameră — camere
floare — flori

pag. 104.

10. *Alegeți propozițiile care vorbesc despre toamnă și scrieți o compunere cu titlul — Toamna —!*

Cerul este înnorat. Plouă. Este frig. Frunzele pomilor se îngălbenesc. Se culeg fructele. Pleacă rîndunelele. Vînătorii merg la vînătoare.

pag. 114.

10. *Traduceți în limba română!*

Școala este foarte mare. Clasele sînt mari și luminoase. Pe culoare sînt plante frumoase. Elevii mici au clasele la parter. Elevii mari au clasele la etajul întîi.

pag. 133.

7. *Traduceți în limba română!*

— Eu am cumpărat ieri legume și fructe. Mie îmi place mult mazărea verde. La piață sînt multe fructe. Mîine voi cumpăra mere, pere și piersici.
— Vrei să mergi cu mine la piață?
— Da. Vreau să merg cu tine la piață.
— Îți plac strugurii?
— Da, îmi plac.

pag. 137.

5. *Traduceţi în limba română!*

— Daţi-mi, vă rog, un litru de vin mai scump.

Aveţi zahăr cubic? Daţi-mi şi o jumătate de kilogram de biscuiţi. Vreau un borcan cu gem şi unul cu compot de piersici.

Doresc o cutie cu conserve de fasole verde şi o cutie de mazăre verde.

pag. 145.

6. *Traduceţi în limba engleză!*

Do you like the apple (which) you are eating?
Do you like the grapes (which) we have bought at the market?
Do you like all the fruits (which) mother buys?
Eat the pear (which) is on the table!
I eat the grape (which) is here.
Do you like the fruits that are sour?
No, I like the fruits that are sweet.
Give me the book which is on the desk.

pag. 176.

6. *Traduceţi în limba română!*

Aştept cu nerăbdare să-l cunosc pe John. Trebuie să le reţii un apartament la hotel.

Telefonez îndată la Hotelul Intercontinental. Acolo sînt sigur că găsesc totdeauna apartamente libere.

La masa de prînz şi la cină vor fi invitaţii noştri, tot timpul cît vor rămîne la Bucureşti.

Poftim bani să cumperi flori.

pag. 163.

6. *Traduceţi în limba română!*

— Bine aţi venit, dragi prieteni! Ne bucurăm că vă revedem. Ce mare ai crescut, John!

Vă prezint pe fiul meu, Dan.

— Sper să te împrieteneşti repede cu băiatul meu.

Lui John îi place fotbalul. Ție îți place?

— Da, îmi place foarte mult. Mă duc deseori cu tata la meciurile de fotbal.

— Vă rog să poftiți în mașină. Soția ne așteaptă la masa de prînz.

pag. 166.

2. *Înlocuiți punctele cu cuvintele: a mea, ale mele, al meu, ai mei:*

Sînt *ale mele.*

Este *a mea.*

Este *al meu.*

Sînt *ai mei.*

Da, este *al meu.*

Da, este *a mea.*

Da, sînt *ale mele.*

pag. 166.

3. *Potriviți în gen și număr adjectivele cu substantivele alăturate!*

elev *bun, silitor* ‖ elevă *bună, silitoare*

elevi *buni, silitori* ‖ eleve *bune, silitoare*

copil *cuminte* ‖ copii *cuminți*

băiat *mic, harnic, vesel, frumos*

băieți *mici, harnici, veseli, frumoși*

fată *mică, harnică, veselă, frumoasă*

fete *mici, harnice, vesele, frumoase*

bunic *bătrîn*, bunică *bătrînă*, bunici *bătrîni*

mamă *tînără*, mame *tinere*,

tată *tînăr*, părinți *tineri*.

pag. 171.

4. *Traduceți în limba engleză!*

We went on the Black-Sea coast and we visited some very beautiful (sea-side) resorts.

We saw some new districts of Bucharest, but (we did) not see all of them.

This summer we have visited Bucharest and next summer we shall visit other towns of Romania.

pag. 172.

6. *Traduceți în limba română!*

N-am putut rezista tentației și am intrat în Grădina Cișmigiu. I-am arătat fiului meu pelicanii. Soția mea a admirat florile și arbuștii ornamentali din această veche și atît de frumoasă grădină publică bucureșteană.

pag. 176.

6. *Cum este corect!*

băiat *talentat*	un concurs *interesant*
fată *talentată*	o activitate *interesantă*
băieți *talentați*	filme *interesante*
fete *talentate*	roboți *interesanți*

s.   = *substantiv*
s.m. = *substantiv masculin*
s. f. = *substantiv feminin*
s. n. = *substantiv neutru*
adj.   = *adjectiv*
pr.   = *pronume*
vb.   = *verb*
adv.   = *adverb*
num. = *numeral*
conj. = *conjuncţie*
prep. = *prepoziţie*
art.   = *articol*

A

abac s.n. — *abacus*

abia adv. — *hardly, only*

ac (ace) s.n. — *needle*

acasă adv. — *at home*

accelerat (accelerate) s.n. — *fast train*

accent (accente) s.n. — *accent*

aceea pron. — *that*

(de aceea — *that is why, therefore*)

același, aceeași — *the same*

acesta (aceasta, aceștia, acestea) — *this —these*

acela (aceea, aceia acelea) — *that — those*

acolo adv. — *there*

acum adv. — *now*

acru (acră, acri, acre) adj. — *sour*

actor (actori) s.n. — *actor*

acțiune (acțiuni) s.f. — *action*

acuarelă (acuarele) s.f. — *water colour*

adînc (adîncă, adînci) adj. — *deep*

adjectiv (adjective) s.n. — *adjective*

adormi, (adorm, am adormit, voi adormi) vb. — *to fall asleep*

aer s.n. — *air*

aduce (aduc, am adus, voi aduce) vb. — *to bring*

aeromodelism s.n. — *airplane model work*

aeroport (aeroporturi) s.n. — *airport*

afară adv. — *out*

afla (aflu, am aflat, voi afla) vb. — *to find out, to learn*

(se află — *there is*)

agendă (agende) — *note book*

agenție (agenții) s.f. — *agency*

aici adv. — *here*

ajunge (ajung, am ajuns, voi ajunge) vb. — *to arrive*

ajuta (ajut, am ajutat, voi ajuta) vb. — *to help*

al, a, ai, ale, art. pos.— al băiatului — *the boy's ; of the boy ;*

a lui — *his*

ai mei — *mine*

ale lor — *theirs*

alaltăieri adv. — *the day before yesterday*

alb (albă, albi, albe) adj. — *white*

albastru (albastră, albaștri, albastre) adj.— *blue*

alimente (alimente) s.n. — *food*

alege (aleg, am ales, voi alege) vb. — *to choose*

alfabet s.n. — *alphabet*

alt (alta, alți, alte) adj. — *other, others*

amabil (amabilă) adj. — *kind*

amiază (amiezi) s.f. — *noon*

(după amiază) — *afternoon*

amic (amici) s.m. — *friend*

a aminti (amintesc, am amintit, voi aminti) vb. — *to remind*

an (ani) s.m. — *year*

animal (animale) s.n. — *animal*

anotimp (anotimpuri) s.n. — *season*

apartament (apartamente) s.n. — *apartment, flat*

apă (ape) s.f. — *water*

apoi adv. — *then*

apreciere (aprecieri) s.f. — *consideration*

aprilie, s.m. — *April*

aprinde (aprind, am aprins, voi aprinde) vb. — *to light (a fire, etc.)*

aproape adv. — *near*

(apropiere, s.f. — *approach (ing), neighbourhood)*

(în apropiere — *nearly)*

apus s.n. — *sunset*

arăta (arăt, am arătat, voi arăta) vb. — *to show*

arbust (arbuşti) s.n. — *shrub*

ardei (ardei) s.m. — *pepper*

(ardei gras) — *green pepper*)

arici s.m. — *hedgehog*

articol s.n. — *article*

articulat (articulată, articulaţi, articulate) adj.—
— *used with article*

artist (artişti) s.m. — *actor*

arunca (arunc, am aruncat, voi arunca) vb. —
— *to throw*

asculta (ascult, am ascultat, voi asculta) vb. —
— *to listen*

aseară adv. — *last night*

asemenea — *also, like*

asortat (asortate) adj. — *assorted, (well)-stocked*

aspirator (aspiratoare) s.n. — *vacuum cleaner*

astăzi adv. — *today*

astfel adv. — *thus*

aşa de adv. — *so*

(nu-i aşa?) — *isn't it?*

aşeza (aşez, am aşezat, voi aşeza), vb. — *to put,*
— *to place*

aştepta (aştept, am aşteptat, voi aştepta) vb.—
to wait

aşterne (aştern, am aşternut, voi aşterne) vb.
— *to lay*

atît — *so, only*

atent (atentă, atenţi, atente) adj. — *attentive*

ateriza (aterizează, a aterizat, va ateriza) vb.
— *to land*

august s.m. — *August*

autobuz (autobuze) s.n. — *bus*

autocamion (autocamioane) s.n. — *lorry*

automobil (automobile) s.n. — *car*

auzi (aud, am auzit, voi auzi) vb. — *to hear*

avea (am, am avut, voi avea) vb. — *to have*

azi adv. — *today*

192

B

baie (băi) s.f. — *bath*

balcon (balcoane) s.n. — *balcony*

balon (baloane) s.n. — *balloon*

ban(bani) s.m. — *the hundredth part of a „leu"*

bani s.m. — *money*

bancă (bănci) s.f. — *(school) desk, (com.) bank*

barbă (bărbi) s.f. — *beard*

barcă (bărci) s.f. — *boat*

bate (vîntul) vb. — *(wind) to blow*

batistă (batiste) s.f. — *handkerchief*

băiat (băieţi) s.m. — *boy*

bărbat (bărbaţi) s.m. — *man*

bărbăteşti adj. — *for men*

bătrîn (bătrînă, bătrîni, bătrîne) adj. — *old*

băutură (băuturi) s.f. — *a drink*

bea (beau, am băut, voi bea) vb. — *to drink*

bibliotecă (biblioteci) s.f. — *library*

bicicletă (biciclete) s.f. — *bicycle*

bilet (bilete) s.n. — *ticket*

bine adv. — *well*

birou (birouri) s.n. — *writing table; study; office*

bloc (blocuri) s.n. — *block*

blond adj. — *fair*

bluză (bluze) s.f. — *blouse*

boboc (boboci) s.m. — *(flower) bud; gosling,*
duckling

bolnav (bolnavi) s.m. — *ill*

bon (bonuri) s.n. — *ticket, bill*

borcan (borcane) s.n. — *jar*

borş s.n. — *broth*

brad (brazi) s.m. — *fir-tree*

braţ (braţe) s.n. — *arm*

briceag (bricege) s.n. — *pocket knife*

brînză (brînzeturi) s.f. — *cheese*

bucată (bucăţi) sf. — *piece*

bucătărie (bucătării) s.f. — *kitchen*

buchet s.n. — *bunch*

bucura (mă bucur, m-am bucurat, mă voi
bucura) vb. — *to be glad, to enjoy*

bucureştean (bucureşteni) s.m. — *inhabitant of Bucharest*

bucurie (bucurii) s.f. — *joy*

bucuros (bucuroasă, bucuroşi, bucuroase) adj. — *glad, pleased*

bumbac, s.n. — *cotton*

bun (bună, buni, bune) adj. — *good*

bunic s.m. — *grandfather*

bunici s.m. — *grandparents*

bunică (bunici) s.f. — *grandmother*

| C |

ca adv. — *like*

cabană (cabane) s.f. — *cottage*

cacao s.f. — *cocoa*

cadou (cadouri) s.n. — *present, gift*

cafea (cafele) s.f. — *coffee*

caiet (caiete) s.n. — *copy-book*

caisă (caise) s.f. — *apricot*

cald (caldă, calzi, calde) adj. — *warm*

cameră (camere) s.f. — *room*

cap (capete) s.n. — *head*

capitala (capitale) s.f. — *capital*

capră (capre) s.f. — *goat*

care — pron. — *who, which, that*

carne, s.f. — *meat*

carte (cărţi) s.f. — *book*

cartier (cartiere) s.n. — *district*

cartof (cartofi) s.n. — *potato*

ca să conj. — *(in order) to*

casă (case) s.f. — *house, pay desk*

castaniu, adj. — *brown, chesnut (coloured)*

castel (castele) s.n. — *palace, castle*

că (pentru că) adj. — *because*

caşcaval s.n. — *Romanian pressed cheese*

catedră (catedre) — *teacher's desk*

căciulă s.f. — *fur cap*

cădea (cad, am căzut, voi cădea) vb. — *to fall*

călător (călători) s.m. — *traveller*

călătorie (călătorii) s.f. — *travel*

căldură s.f. — *heat*

cal (cai) s.m. — *horse*

căluşei — *merry-go-round*

cămaşă (cămăşi) s.f. — *shirt*

căuta (caut, am căutat, voi căuta) vb. — *to look for*

ce (de ce?) — *why?*

ceai (ceaiuri) s.n. — *tea*

ceapă (cepe) s.f. — *onion*

ceas (ceasuri) s.n. — *watch, clock*

ceasornicar (ceasornicari) s.m. — *watch (clock) maker*

cel (cea, cei, cele) art. — *the*

celălalt — *the other*

centru (centre) s.n. — *centre, middle*

cer (ceruri) s.n. — *sky, heaven*

cerb (cerbi) s.m. — *deer*

cercel (cercei) s.m. — *earing*

cere (cer, am cerut, voi cere) vb. — *to ask, to demand*

cerc (cercuri) s.n. — *circle*

cerneală s.f. — *ink*

cetate (cetăţi) s.f. — *stronghold, city*

cetăţean (cetăţeni) s.m. — *citizen*

chema (chem, am chemat, voi chema) vb. — *to call*

(mă cheamă — *my name is*)

chibrit (chibrituri) s.n. — *matches*

chimie s.f. — *chemistry*

chitară s.f. — *guitar*

ci conj. — *but*

ciclist s.m. — *cyclist*

cifră (cifre) s.f. — *figure*

cinci num. — *five*

cincisprezece num. — *fifteen*

cincizeci num. — *fifty*

cina s.f. — *supper*

cine pron. — *who*

cinematograf (cinematografe) s.n. — *cinema*

cinema s.n. — *cinema*

cineva pr. — *somebody*

ciorap (ciorapi) s.m. — *stocking*

cireaşă (cireşe) s.f. — *cherry*

cireş (cireşi) s.m. — *cherry-tree*

ciupercă (ciuperci) s.f. — *mushroom*

citi (eu citesc, eu am citit, eu voi citi) vb. —
to read

cizmă (**cizme**) s.f. — *boot*

cîine (cîini) s.m. — *dog*

cîmp (cîmpuri) s.n. — *field*

cîmpie (cîmpii) s.f. — *plain*

cînd adv. — *when*

(din cînd în cînd — *now and then*)

(de cînd — *since when*)

(pînă cînd — *until; how long?*)

cînta (cînt, am cîntat, voi cînta) vb. — *to sing*

cîntar (cîntare) s.n. — *balance, scales*

cîntări (cîntăresc, am cîntărit, voi cîntări) vb.
— *to weigh*

cîntec (cîntece) s.n. — *song*

cîrnat (cîrnaţi) s.m. — *sausage*

cît adv. — *how, how much*

cîteva — *some*

cîţi (cîte) — *how many?*

cîte ceva — *some*

clasă (clase) s.f. — *class*

clădire (clădiri) s.f. — *building*

coace (se coc, s-au copt, se vor coace) vb. —*to
bake; to ripen*

coardă (corzi) s.f. — *skipping rope*

coborî (cobor, am coborît, voi coborî), vb. —
— *to get down, off*

cocoş (cocoşi) s.m. — *cock*

coleg (colegi) s.m. — *school fellow*

comandă (comenzi) s.f. — *command, order*

combinezon (combinezoane) s.n. — *underwear*

completa (completez, am completat, voi com-
pleta) vb. — *to complete*

compartiment (compartimente) s.n. — *com-
partment*

compot (compoturi) s.m. — *stewed fruit*

compunere (compuneri) s.f. — *composition*

comun adj. — *common*

concurs (concursuri) s.n. — *competition*

conduce (conduc, am condus, voi conduce) vb.
— *to lead, to drive*

confecţiona (confecţionez, am confecţionat, voi
confecţiona) vb. — *to make*

conopidă (conopide) s.f. — *cauliflower*

conserva (conserv, am conservat, voi conserva)
vb. — *to preserve*

conservă (conserve) s.f. — *preserved food*

consoană (consoane) s.f. — *consonant*

constructor (constructori) s.m. — *builder*

construi (construiesc, am construit, voi con-
strui) vb. — *to build*

conţine vb. — *to contain*

conversaţie (conversaţii) s.f. — *conversation*

copil (copii) — s.m. *child*

copac (copaci) s.m. — *tree*

coregrafie s.f. — *choreography*

corespunzător — *corresponding to, adequate,
suitable*

corp (corpuri) s.n. — *body*

costa (costă, a costat, va costa) vb. — *to cost*

costum (costume) s.n. — *suit*

coş (coşuri) s.n. — *basket*

cotă (cote) s.f. — *altitude*

covor (covoare) s.n. — *carpet*

cravată (cravate) s.f. — *tie*

creangă (crengi) s.f. — *branch*

crede (cred, am crezut, voi crede) vb. — *to
think, to believe*

creion (creioane) s.n. — *pencil*

cremă de ras s.f. — *shaving cream*

creşte (cresc, am crescut, voi creşte) vb. —*to
grow*

cretă (crete) s.f. — *chalk*

cu prep. — *with*

cu ce? — *with what?*

cu mine — *with me*

cuc (cuci) s.m. — *cuckoo*

cuier (cuiere) s.m. — *peg*

culca (mă culc, m-am culcat, mă voi culca) vb.
— *to go to bed*

culege (culeg, am cules, voi culege) vb. — *to
pick*

culoar (culoare) — s.n. *corridor*
culoare (culori) s.f. — *colour*
cum adv. — *how*
cuminte (cuminți) adj. — *good, quiet*
cumpăra (cumpăr, am cumpărat, voi cumpăra)
 vb. — *to buy*
cumpărătură (cumpărături) s.f. — *shopping*
cunoaște (cunosc, am cunoscut, voi cunoaște)
 vb. — *to know*
curat (curată, curați, curate) adj. — *clean*
curcan (curcani) s.m. — *turkey (cock)*
curcă (curci) s.f. — *turkey (hen)*
curios (curioasă, curioși, curioase) adj. — *curious*
curînd adv. — *soon*
curs (cursuri) s.n. — *course*
cutie (cutii) s.f. — *box*
cuțit (cuțite) s.n. — *knife*
cuvînt (cuvinte) s.n. — *word*

| D |

da adv. — *yes*
(ba da — *oh, yes*)
da (dau, am dat, voi da) vb. — *to give*
dacă conj. — *if*
dans (dansuri) s.n. — *dance*
dansator (dansatori) s.n. — *dancer*
dar conj. — *but*
dată (date) s.f. — *date*
de prep. — *of, from*
(de la București — *from Bucharest*)
(de aceea — *therefore*)
(de ce— *why?*)
deal (dealuri) s.m. — *hill*
deasupra adv. — *up, above, over*
debarcader (debarcadere) s.n. — *landing place*
decembrie s.m. — *December*
decît prep. — *than*
decola (decolează, am decolat, va decola) vb.—
 (airplane) to take off
deget (degete) s.n. — *finger*
degetar (degetare) s.n. — *thimble*

deloc adv. — *at all*
dejun s.n. — *dinner*
deocamdată adv. — *for the moment*
dejuna (dejunez, am dejunat, voi dejuna) vb.
 — *to have dinner*
dentist s.m. — *dentist*
departe adv. — *far*
de la prep. — *from*
des (deasă, deși, dese) adj. — *thick*
dezbrăca (mă dezbrac, m-am dezbrăcat, mă voi
 dezbrăca) vb. — *to undress, to take off*
descălța (mă descalț, m-am descălțat, mă voi
 descălța) vb. — *to take off one's shoes*
deschide (deschid, am deschis, voi deschide) vb.
 — *to open*
deseară adv. — *tonight*
desen s.n. — *drawing*
desena (desenez, am desenat, voi desena) vb.
 — *to draw*
desert (deserturi) s.n. — *dessert*
desigur adv. — *certainly, of course*
despre prep. — *about*
devreme adv. — *early*
diftong (diftongi) s.m. — *diphthong*
dimineața (diminéți) s.f. — *morning*
din prep. — *from, of, in*
dintre prep. — *of, between, among*
dinte (dinți) s.m. — *tooth*
dirigintă (diriginte) s.f. *classmistress*
disc (discuri) s.n. — *record*
distracție (distracții), s.f. — *amusement*
doamnă (doamne) s.f. — *woman, lady*
doctor (doctori) s.m. — *physician*
doi (două) num. — *two*
doisprezece num. — *twelve*
dogorî vb. — *to burn*
domn (domni) s.m. —*man, gentleman*
domnișoară (domnișoare) s.f. —*young lady*
douăzeci num. — *twenty*
dori (doresc, am dorit, voi dori) vb. — *to want,
 to desire*

dormi (dorm, am dormit, voi dormi) vb. —*to sleep.*

dormitor (dormitoare) s.n. — *bedroom*

dovlecel (dovlecei) s.m. — *vegetable marrow*

drept adv. — *right, straight*

(la dreapta — *to the right*)

drum (drumuri s.n. — *way, road*

drumeție (drumeții) s.f. — *travelling; hiking*

duce (duc, am dus, voi duce) vb. — *to carry*

(duce valiza — *he carries the suitcase*)

(se) duce (mă duc, m-am dus, mă voi duce) vb. — *to go*

dulap (dulapuri) s.n. — *case, wardrobe*

dulce (dulci) adj. — *sweet*

dulceață s.f. — *jam*

duminică (duminici) s.f. — *Sunday*

dumneata pron. — *you*

dumneavoastră pron. — *you*

după (după-masă) prep.— *after, afternoon*

(după ce — *after*)

duş (duşuri) s.n. — *shower*

(face duş — *he is taking a shower*)

E

ea pron. — *she*

echipă (echipe) s.f. — *team*

ei, ele pr. — *they*

el pr. — *he*

elefant (elefanți) s.m. — *elephant*

elev (elevi) s.m. — *pupil, schoolboy*

elevă (elevi) s.f. — *pupil, schoolgirl*

est s.n. — *east*

eşarfă (eşarfe) s.f. — *scarf, shawl*

etaj (etaje) s.n. — *floor, story*

eu pr. — *I*

exact (exactă) adv. — *exact*

excursie (excursii) s.f. — *trip*

expoziție (expoziții) s.f. — *exhibition*

exprima (exprim, am exprimat, voi exprima) vb. — *to express*

exemplu (exemple) s.n. — *example*

exercițiu (exerciții) s.n. — *exercise*

F

fabrică (fabrici) s.f. — *factory*

face (fac, am făcut, voi face) vb. — *to do, to make*

facultate s.f. — *faculty*

familie (familii) s.f. — *family*

farfurie (farfurii) s.f. — *plate*

(farfurie adîncă — *soup plate*)

(farfurie întinsă — *flat plate*)

fată (fete) s.f. — *girl*

față (fețe) s.f. — *face*

(față de masă — *table cloth*)

făină s.f. — *flour*

fără prep. — *without*

(fără două minute) — *two minutes to...*

februarie, s.m. — *February*

fel (feluri) s.n. — *manner, way, kind*

felurit (felurită, feluriți, felurite) adj. — *various*

felicita (felicit, am felicitat, voi felicita) vb.— — *to congratulate*

femeie (femei) s.f. — *woman*

fereastră (ferestre) s.f. — *window*

fericire s.f. — *happiness*

fetiță (fetițe) s.f. — *little girl*

fi (sînt, am fost, voi fi) vb. — *to be*

fiecare adj. pr. — *each, every*

fiică (fiice) s.f. — *daughter*

fiu (fii) s.m. — *son*

fix adj. — *fixed*

fixat — *fixed*

fizică s.f. — *Physic*

fîntînă (fîntîni) a.f. — *fountain*

floare (flori) s.f. — *flower*

fluture (fluturi) s.m. — *butterfly*

foame s.f. — *hunger*

(mi-e foame — *I am hungry*)

foarte adv. — *very*

fotbal s.n. — *football*

fotografie (fotografii) s.f. — *photography*

fotoliu (fotolii) s.n. — *armchair*

fragă (fragi) s.f. — *wild strawberry*
francez (francezi) s.m. — *Frenchman*
franceza — *the French language*
frate (frați) s.m. — *brother*
frig s.n. — *cold*
frigare s.f. — *spit (for roasting)*
(pui la frigare — *chicken roasted on the spit*)
frigider (frigidere) s.n. — *refrigerator, ice box*
friptură (fripturi) s.f. — *roast (meat)*
fruct (fructe) s.n. — *fruit*
frumos (frumoasă, frumoși, frumoase) adj. —
— *beautiful, nice; fine*
frunte (frunți) s.f. — *forehead*
frunză (frunze) s.f. — *leaf*
fugi (fug, am fugit, voi fugi) vb. — *to run*
fular s.f. — *scarf*
funcționar (funcționari) s.m. — *clerk*
funcționară (funcționare) s.f. — *(woman)clerk*
furculiță (furculițe) s.f. — *fork*
fustă (fuste) s.f. — *skirt*

G

galben (galbenă, galbeni, galbene) adj. — *yellow*
gară (gări) s.f. — *railway station*
gata adv. — *over, ready*
găină (găini) s.f. — *hen*
găsi (găsise, am găsit, voi găsi) vb. — *to find*
geam (geamuri) s.n. — *window pane*
geamantan (geamantane) s.n. — *suitcase*
geantă (genți) s.f. — *hand bag*
geografie (geografii) s.f. — *Geography*
gen (genuri) s.n. — *gender*
gem (gemuri) s.n. — *jam*
ger s.n. — *severe cold*
gheată (ghete) s.f. — *boat*
gheață s.f. — *ice*
ghețar s.n. — *glacier, iceberg*
ghem s.m. — *(trhead, wool) ball*
ghici (ghicesc, am ghicit, voi ghici) vb. — *to guess*

ghicitoare (ghicitori) s.f. — *riddle*
ghindă (ghinde) s.f. — *acorn*
ghiocel (ghiocei) s.m. — *snowdrop*
ghirlandă (ghirlande) s.f. — *garland*
gimnastică s.f. — *gymnastics*
gîndi vb. — *to think*
gîscă (gîște) s.f. — *goose, geese*
gît (gîturi) s.n. — *neck*
gospodărie (gospodării) s.f. — *household*
gospodină (gospodine) s.f. — *housewife*
gram (grame) s.n. — *gram*
grădină (grădini) s.f. — *garden*
greu (grea, grei, grele) adj. — *heavy, difficult*
gri adj. — *grey*
grîne s.f. — *corn, cereals*
grîu s.n. — *wheat*
gros (groasă, groși, groase) adj. — *thick*
gumă (gume) s.f. — *rubber*
gură (guri) s.f. — *mouth*
gustos (gustoasă, gustoși, gustoase) adj. —
— *tasty*

H

haină (haine) s.f. — *coat*
hamac s.n. — *hammack*
harnic (harnică, harnici, harnice) adj. — *industrious, hard working*
hîrtie (hîrtii) s.f. — *paper*
horă (hore) s.f. — *reel*
hotel (hoteluri) s.n. — *hotel*

I

ianuarie s.m. — *January*
iar conj. — *and, but*
iarbă s.f. — *grass*
iarnă (ierni) s.f. — *winter*
iată interj. — *here is, look*
ied (iezi) s.m. — *kid*
ieftin (ieftină, ieftine, ieftini), adj. — *cheap*
iepure (iepuri) s.m. — *hare, rabbit*
iederă s.f. — *ivy*

ieri adv. = *yesterday*

ierta (iert, am iertat, voi ierta) vb. — *to forgive*

ieşi (ies, am ieşit, voi ieşi) vb. — *to go out*

ilustrată (ilustrate) s.f. — *picture postcard*

imediat adv. — *immediately*

impunător (impunătoare, impunătoři) adj. — *imposing, stately*

inel (inele) s.n. — *ring*

inginer (ingineri) s.m. — *engineer*

inimă (inimi) s.f. — *heart*

(din inimă — *with all one's heart*)

inițială s.f. — *initial*

interesant (interesantă, interesanți, interesante) adj. — *interesting*

intră (intru, am intrat, voi intra) vb. — *to enter*

intrare (intrări) s.f. — *entrance*

invitat (invitați) s.m. — *guest*

invită (invit, am invitat, voi invita) vb. — *to invite*

isprăvi (isprăvesc, am isprăvit, voi isprăvi) vb — *to finish*

iulie — *July*

iunie — *June*

| Î |

îmbrăca (se) (mă îmbrac, m-am îmbrăcat, mă voi îmbrăca) vb. — *to put on, to dress*

îmbrăcăminte, s.f. — *clothes*

împărtăşi (împărtăşesc, am împărtăşit, voi împărtăşi) vb. — *to impact*

împreună adv. — *together*

impresie (impresii) s.f. — *impression*

în prep. — *in*

înainte adv. — *forward, before*

înalt (înaltă, înalți, înalte) adj. — *high, tall*

înapoi adv. — *back, backward*

încălța (se) (mă încalț, m-am încălțat, mă voi încălța) vb. — *to put on one's shoes*

încălzi (încălzesc, (mă încălzesc), am încălzit, voi încălzi) vb. — *to warm, to heat*

încăpere (încăperi) s.f. — *room*

începe (încep, am început, voi începe) vb. — *to begin*

început (începuturi) s.n. — *beginning*

(la început — *at the beginning*)

încet adv. — *slowly, softly*

închide (închid, am închis, voi închide) vb. *to shut*

încîntat (încîntată, încîntați, încîntate) adv. — *delighted, charmed*

încît conj. — *(so) that*

îndată adv. — *at once*

îndepărtat (îndepărtată, îndepărtați, îndepărtate) adj. — *remote*

îndrăgi (îndrăgesc, am îndrăgit, voi îndrăgi) vb. — *to grow fond of*

înfățişare (înfățişări) s.f. — *appearance, aspect*

înflori (înflorește, a înflorit, va înflori) vb. — *to bloom*

înflorit (înflorită, înfloriți, înflorite) adj. — *blooming*

îngălbeni (se îngălbenesc, s-au îngălbenit, se vor îngălbeni) vb. — *to turn yellow*

înlocui (înlocuiesc, am înlocuit, voi înlocui) vb. — *to replace*

îngheța (îngheață, a înghețat, va îngheța) vb. — *to freeze*

înghețată (înghețate) s.f. — *ice cream*

îngriji (îngrijesc, am îngrijit, voi îngriji) vb. — *to take care of, to nurse, to look after*

în jurul prep. — *round*

înnorat (înnorată) adj. — *cloudy*

înot sm. — *swimming*

înota (înot, am înotat, voi înota) vb. — *to swim*

însă conj. — *but*

înscrie (înscriu, am înscris, voi înscrie) vb. — *to register, to book*

însuşire (însuşiri), s.f. — *quality, feature*

întinde (întind, am întins, voi întinde) vb. — *to stretch*

întîi adv. — *at first*

întîiul (întîia) num. — *the first*

întîlnire s.f. — *meeting*

întîmpinare (întîmpinări) s.f. — *meeting, encounter*
întîmplare (întîmplări) s.f. — *event*
întoarce (se) (mă întorc, m-am întors, mă voi întoarce) vb. — *to turn*
întîrzia (întîrzii, am întîrziat, voi întîrzia) vb. — *to be late for, to delay*
într- prep. — *in, into*
într-adevăr — *indeed, in truth*
într-una adv. — *continuous*
între prep. — *between, among*
întreabă (întreb, am întrebat, voi întreba) vb. — *to ask*
întrebare (întrebări) — *question*
întreg (întreagă, întregi) adj. — *whole, entire*
(se) întuneca (se întunecă, s-a întunecat, se va întuneca) vb. — *to grow dark*
întuneric, s.n. — *darkness*
învăța (învăț, am învățat, voi învăța) vb. — *to learn*
învățător (învățători) s.m. — *teacher, schoolmaster*
învățătoare, s.f. — *teacher, schoolmistress*
înverzi (înverzește, a înverzit, va înverzi) vb. — *to grow green*

J

jachetă (jachete) s.f. — *jacket*
jambon (jamboane) s.n. — *ham*
jena (mă jenează, m-a jenat, mă va jena), vb. — *to incommode, to pinch*
joc (jocuri) s.n. — *game*
joi s.f. — *Thursday*
jos (joasă, joși, joase) adj. — *low*
(pe jos — *on foot*)
juca (joc, am jucat, voi juca) vb. — *to play*
(mă joc, m-am jucat, mă voi juca)
jucărie (jucării) s.f. — *toy*
jucător (jucători) s.m. — *player*
jumătate (jumătăți) s.f. — *half*
jurnal s.n. — *journal*

jur prep. — *around*
(în jurul — *round about*)

K

kilogram (kilograme) — *kilograme*
kilometru (kilometri) — s.m. — *kilometre*

L

la prep. — *at, to*
(la telefon — *on the telephone*)
(la mine — *at me; at my place*)
(la fel — *the same, alike*)
lac (lacuri) s.n. — *lake*
lalea (lalele) s.f. — *tulip*
lamă (lame) s.f. — *blade*
lampă (lămpi) s.f. — *lamp*
lapte s.n. — *milk*
larg (largă, largi) adj. — *large, broad*
lat (lată, lați, late) adj. — *wide*
lămîie (lămîi) s.f. — *lemon*
lăsa (las, am lăsat, voi lăsa) vb. — *to leave, to let*
lăuda (laud, am lăudat, voi lăuda) vb. — *to praise*
leagăn s.n. — *swing*
(se dă în leagăn — *he is swinging*)
lectură (lecturi) s.f. — *reading*
lecție (lecții) s.f. — *lesson*
legumă (legume) s.f. — *vegetable*
lemn (lemne) s.n. — *wood*
leu (lei) s.m. — *Romanian coin and monetary unit*
libelulă, s.f. — *dragon fly*
librărie (librării) — *stationer's*
liber (liberă) adj. — *free*
liceu (licee) — s.n. — *secondary school*
limbă (limbi) s.f. — *tongue, language*
lingură (linguri) s.f. — *spoon*
linguriță (lingurițe) s.f. — *tea spoon*
linie (linii) s.f. — *line, ruler*

liniște s.f. — *silence*

(în liniște — *in silence, quietly*)

lipsi (lipsesc, am lipsit, voi lipsi) vb. — *to miss*

listă (liste) s.f. — *list*

literă (litere) s.f. — *letter*

literatură (literaturi) s.f. — *literature*

litru (litri) s.m. — *litre*

litoral (litoraluri) s.n. — *sea-side*

lînă s.f. — *wool*

lîngă prep. — *near, by*

(pe lîngă — *besides*)

loc (locuri) s.n. — *place, seat*

locui (locuiesc, am locuit, voi locui) vb. — *to live*

locuință (locuințe) s.f. — *dwelling*

locuitor (locuitori) s.f. — *inhabitant*

lua (iau, am luat, voi lua) vb. — *to take*

lucra (lucrez, am lucrat, voi lucra) vb. — *to work*

lucru (lucruri) s.n. — *work*

lume (lumi) s.f. — *world*

lumina (luminează, a luminat, va lumina) vb — *to light, to illuminate*

lumină (lumini) s.f. — *light*

luminos (luminoasă, luminoși, luminoase)adj. — *bright*

lună (luni) s.f. — *month; moon*

lung (lungă, lungi) — *long*

luni s.f. — *Monday*

lup (lupi) s.m. — *wolf*

| M |

magazin (magazine) s.n. — *shop; magazine, revue*

mai s.m. — *May*

mai adv. — *more,*

(mai întîi — *at first*)

majusculă (majuscule) s.f. — *capital letter*

mamă (mame) s.f. — *mother*

mare (mari) adj. — *big, great*

mare (mări) s.f. — *sea*

margine (margini) s.f. — *edge, border*

maro adj. — *brown*

martie s.m. — *March*

marți s.f. — *Tuesday*

masă (mese) s.f. — *table, meal*

mașină (mașini) s.f. — *machine, car*

matematică (matematici) s.f. — *Mathematics*

mazăre s.f. — *green peas*

(mazăre verde — *green peas*)

mămăligă (mămăligi) s.f. — *maize porridge*

(diminutiv — mămăliguță) — *diminutive for maize porridge*

mănușă (mănuși) s.f. — *glove*

măr (meri) s.n. — *apple-tree*

(măr (mere) s.n. — *apple*)

măreție (măreții) s.f. — *greatnees*

măsură (măsuri) s.f. — *measure*

mătușă (mătuși) s.f. — *aunt*

medic (medici) s.m. — *physician*

menține (mențin, am menținut, voi menține) vb. — *to maintain*

mereu adv. — *always*

merge (merg, am mers, voi merge) vb. — *to go*

mers s.n. — *going, walking*

meserie (meserii) s.f. — *handicraft, profession*

metalurgist (metalurgiști) s.m. — *metallurgy worker*

metru (metri) s.m. — *metre*

mezeluri s.m. — *salami and sausages*

(al) meu, (a mea, (ai) mei, (ale) mele — *my*

miazănoapte s.f. — *North*

miazăzi — *South*

mic (mică, mici) adj. — *small*

mie (mii) num. — *thousand*

miel (miei) s.m. — *lamb*

miercuri s.f. — *Wednesday*

milion (milioane) — num. — *million*

minge (mingi) s.f. — *ball*

minut (minute) s.n. — *minute*

mină (mine) s.f. — *mine*

miner (mineri) s.m. — *miner*

minutar (minutare) s.m. — *minute hand*

miros (mirosuri) s.n. — *smell*

mirosi (miros, am mirosit, voi mirosi) — vb. —
to smell

mititel (mititei) s.m. — *highly seasoned force-
meat balls broiled on the gridiron*

mîine adv. — *tomorrow*

mînă (mîini) s.f. — *hand*

mînca (mănînc, am mîncat, voi mînca) vb. —
to eat

mîncare (mîncăruri) s.f. — *dish*

moară (mori) s.f. — *mill*

mobila (mobilez, am mobilat, voi mobila) vb. —
to furnish

mobilier (mobiliere) s.n. — *furniture*

morcov (morcovi) s.m. — *carrot*

mult (multă, mulţi, multe) adj. — *much, many*
(mult — *much*, foarte mult — *very much*, prea
mult — *too much*)
(de mult — *for a long time*)

mulţumi (mulţumesc, am mulţumit, voi mul-
ţumi) vb. — *to thank*

mulţumit (mulţumită, mulţumiţi, mulţumite)
adv. — *content*

muncă (munci) s.f. — *work*

munci (muncesc, am muncit, voi munci) vb. —
to work

muncitor (muncitori) s.m. — *worker*

munte (munţi) s.m. — *mountain*

musafir (musafiri) s.m. — *guest*

muzică (muzici) s.f. — *music*

| N |

nai s.n. — *panpipe*

nas (nasuri) s.n. — *nose*

naştere (naşteri) s.f. — *birth*

nataţie (înot) s.f. — *swimming*

natură (naturi) s.f. — *nature*

naţional (naţională, naţionali, naţionale) adj. —
national

negru (neagră, negri, negre) adj. — *black*

nepoată (nepoate) s.f. — *niece*

nepot (nepoţi) s.m. — *nephew*

nerăbdare (nerăbdări) s.f. — *impatience*

nespus adv. — *extremely, inexpressibly, very*

neuitat (neuitată, neuitate, neuitaţi) adj. —
unforgotten

nevoie (nevoi) s.f. — *need*

nici conj. — *neither*

niciodată adv. — *never*

nici un (nici o) — adj. neg. — *no, no one*

niciunul (nici una, nici unii, nici unele) pr.
neg. — *no one*

ninge (ninge, a nins, va ninge) vb. — *to snow*

nisip (nisipuri) s.n. — *sand*

nişte art. — *some*

noapte (nopţi) s.f. — *night*
(noapte bună! — s.f. — *good night!*)
(miezul nopţii — *midnight*)

noi pr. — *we*

noiembrie s.m. — *November*

nor (nori) s.m. — *cloud*

nord s.n. — *North*

noroc s.n. — *luck*
(a avea noroc — *to have luck*)

(al) nostru, (a) noastră, (ai) noştri, (ale) noastre
— *our*

nou (nouă, noi) adj. — *new*

nouă num. — *nine*

nouăsprezece num. — *nineteen*

nu adv. — *no*

nuferi s.m. — *water-lily*

numai adv. — *only*

număr (numere) s.n. — *number*

număra (număr, am numărat, voi număra) —
to count

nume s.n. — *name*

numeral s.n. — adj. — *numeral*

numi (mă numesc, m-am numit, mă voi numi)
vb. — *to name, to call*

| O |

o art. — *a, an*

oaie (oi) s.f. — *sheep*

oaspete (oaspeţi) s.m. — *guest*

obosit (obosită, obosiți, obosite) adj. — *tired*

observa (observ, am observat, voi observa) vb.
  — *to observe, to notice*

ochelari s.m. — *spectacles*

ochi s.m. — *eye*

ochiuri s.n. — *fried eggs*

ocupa (ocup, am ocupat, voi ocupa) vb. —
  to occupy

ocupat (ocupată, ocupați, ocupate — adj. —
  occupied, busy)

ocupație (ocupații) s.f. — *occupation, work*

octombrie s.m. — *October*

o dată adv. — *once*

odihnă s.f. — *rest*

odihni v.b. — *to rest*

oficiu (oficii) s.n. — *office*

oglindă (oglinzi) — *looking glass*

om (oameni) s.m. — *man, people*

opri (se) (mă opresc, m-am oprit, mă voi opri)
  vb. — *to stop*

opt num. — *eight*

optsprezece num. — *eighteen*

oraș (orașe) s.f. — *town*

oră (ore) s.f. — *hour*

orarul s.n. — *the hour hand; the time table*

orez s.n. — *rice*

(ora douăsprezece — *midday*)

orice — *anything*

oțelar (oțelari) s.m. — *steelworker*

ou (ouă) s.n. — *egg*

P

pachet (pachete) s.n. — *parcel*

pagină (pagini) s.f. — *page*

pahar (pahare) s.m. — *glass*

paiață (paiațe) s.f. — *clown*

pajiște (pajiști) s.f. — *lawn*

palat (palate) s.n. — *palace*

palmă (palme) s.f. — *palm*

palton (paltoane) s.n. — *winter coat*

pansea (pansele) s.f. — *pansy*

pantalon (pantaloni) s.m. — *trousers*

pantof (pantofi) s.m. — *shoe*

papuc (papuci) s.m. — *slipper*

paranteză s.f. — *parenthesis, bracket*

pară (pere) s.f. — *pear*

parc (parcuri) s.n. — *park*

parcă conj. — *as if, it seems that*

pardesiu (pardesiuri) s.n. — *overcoat*

parte (părți) s.f. — *part*

(în parte — *on the part*)

parter (partere) s.n. — *ground floor*

pasager (pasageri) s.m. — *passenger*

pasăre (păsări) s.f. — *bird*

pastă s.f. — *paste*

(pastă de dinți — *tooth paste*)

pat (paturi) s.n. — *bed*

patina (patinez, am patinat, voi patina) vb. —
  to skate

patrie (patrii) s.f. — *motherland*

patru num. — *four*

paisprezece num. — *fourteen*

pauză (pauze) s.f. — *pause, break*

pădure (păduri) s.f. — *forest*

pălărie (pălării) s.f. — *hat*

pămătuf s.f. — *shawing brush*

pămînt s.n. — *soil, earth*

păpușă (păpuși) s.f. — *doll*

păr s.n. — *hair*

părinte (părinți) s.m. — *parent*

pe prep. — *on*

(pe birou — *on the writing table*)

(pe stradă — *in the street*)

(pe drum — *on the road*)

(pe mîine — *good-bye till tomorrow*)

(pe la prep. — *at, to*)

(vine pe la noi — *he comes to our place*)

(pe la șapte — *about seven*)

peisaj (peisaje) s.n. — *landscape*

pelican (pelicani) s.m. — *pelican*

pensulă (pensule) s.f. — *brush*

pentru prep. — *for*

(pentru ce? — *why?*)

(pentru că — *because*)

perdea (perdele) s.f. — *curtain*
pereche (perechi) s.f. — *pair*
perete (pereți) s.m. — *wall*
perie (perii) s.f. — *brush*
permite (permit, am permis, voi permite) vb. — *to permit*
pernă (perne) s.f. — *pillow*
peron s.n. — *platform*
persoană (persoane) s.f. — *person*
perspectivă (perspective) s.f. — *view*
peste prep. — *over*
pește (pești) s.m. — *fish*
petrecere (petreceri) s.f. — *party*
pian (piane) s.n. — *piano*
piatră (pietre) s.f. — *stone*
piață (piețe) s.f. — *market*
picior (picioare) s.n. — *leg*
picta vb. — *to paint*
pictor (pictori) s.m. — *painter*
piele (piei) s.f. — *skin, leather*
piept s.n. — *chest*
pieptene (piepteni) s.m. — *comb*
pieptăna (mă pieptăn, m-am pieptănat, mă voi pieptăna) vb. — *to comb*
pierde (pierd, am pierdut, voi pierde) vb. — *to lose*
piersică (piersici) s.f. — *peach*
pijama (pijamale) s.f. — *pyjamas*
pionier (pionieri) s.m. — *pioneer*
pisică (pisici) s.f. — *cat*
pix (pixuri) s.m. — *ball pointed pencil*
pîine (pîini) s.f. — *broad*
pînă prep. — *till, up to*
(pînă mîine — *till tomorrow*)
plantă (plante) s.f. — *plant*
plăcea vb. — *to be fond of*
plăcere (plăceri) s.f. — *pleasure*
(cu plăcere — *with pleasure*)
plăti (plătesc, am plătit, voi plăti) vb. — *to pay*
pleca (plec, am plecat, voi pleca) vb. — *to go, to leave*
plecare (plecări) s.f. — *departure*

plimba (mă plimb, m-am plimbat, mă voi plimba) vb. — *to go for a walk*
plimbare (plimbări) s.f. — *walk, stroll*
plin (plină, plini, pline) adj. — *full*
plînge (plîng, am plîns, voi plînge) vb. — *to cry*
ploaie (ploi) s.f. — *rain*
ploua (plouă, a plouat, va ploua) vb. — *it rains, it is raining*
plural, s.n. — *plural*
poartă (porți) s.f. — *gate*
poezie (poezii) s.f. — *poem*
poftă (pofte) s.f. — *appetite*
(poftă bună!) — *hope you will enjoy your dinner*
(poftim, poftiți! — *here you are; please!*)
poimîine adv. — *the day after tomorrow*
politicos (politicoasă, politicoși, politicoase) adj. — *polite*
pom (pomi) s.m. — *tree*
pompier, s.n. — *fireman*
popor (popoare) s.n. — *people*
popular (populară, populari, populare) adj. — *popular*
port popular — *popular, costume*
portret (portrete) s.f. — *portrait*
porni (pornește, a pornit, va porni) vb. — *to start*
poșetă (poșete) s.f. — *handbag*
poștaș (poștași) s.m. — *postman*
potrivit (potrivită, potriviți, potrivite) adj. — *fit, suited*
prăjitură (prăjituri) s.f. — *cake*
prefera (prefer, am preferat, voi prefera) vb. — *to prefer*
pregăti (pregătesc, am pregătit, voi pregăti) vb. — *to prepare*
pregătire (pregătiri) s.f. — *preparation; training*
prezenta (prezint, am prezentat, voi prezenta) vb. — *to present, to introduce*
prieten (prieteni) s.m. — *friend*

prietenă (prietene) s.f. — *friend (for a feminine person)*

prietenos — (prietenoasă, prietenoși, prietenoase) adj. — *friendly*

prima — *the first*

primăvară (primăveri) s.f. — *spring*

primi (primesc, am primit, voi primi) vb. — *to get, to receive*

prin prep. — *through*

(prin pădure — *through the forest*)

prinde (prind, am prins, voi prinde) vb. — *to catch, to grasp*

printre prep. — *among*

privighetoare (privighetori) s.f. — *nightingale*

privi (privesc, am privit, voi privi) vb. — *to look at, to see*

prînz (prînzuri) s.n. — *lunch, noon*

(după prînz — *afternoon*)

proaspăt (proaspătă, proaspeți, proaspete) adj. — *fresh*

problemă (probleme) s.f. — *problem*

proceda (procedez, am procedat, voi proceda) vb. — *to act, to proceed*

profesie (profesii) s.f. — *profession*

profesoară (profesoare) s.f. — *teacher, schoolmistress*

profesor (profesori) s.m. — *tacher, schoolmaster*

promite (promit, am promis, voi promite) vb. — *to promise*

pronunțare s.f. — *pronunciation*

pronunța (pronunț, am pronunțat, voi pronunța) vb. — *to pronounce*

propriu (proprie, proprii) adj. — *own, personal*

propune (propun, am propus, voi propune) vb. — *to propose, to suggest*

propunere (propuneri) s.f. — *suggestion*

prosop (prosoape) s.n. — *towel*

prună (prune) s.f. — *plum*

pui s.m. — *chicken*

punct (puncte) s.n. — *point*

pune (pun, am pus, voi pune) vb. — *to put, to place, to lay*

purta (port, am purtat, voi purta) vb. — *to wear*

(mă port, m-am purtat, mă voi purta) vb. — *to behave*

putea (pot, am putut, voi putea) vb. — *can*

puțin (puțină, puțini, puține) adj. — *little, a little, few, a few, some*

| R |

rachetă (rachete) s.f. — *rocket; racket*

raion (raioane) s.n. — *department*

ramă s.f. — *frame*

rămîne vb. — (rămîn, am rămas, voi rămîne) — *to remain*

(ceasul meu rămîne în urmă cu 5 minute — *my watch is 5 minutes late*)

rar (rară, rari, rare) adj. — *rare*

rață (rațe) s.f. — *duck*

rază (raze) s.f. — *ray*

răsări (răsare, a răsărit, va răsări) vb. — *to rise*

răsărit (răsărituri) s.n. — *sunrise*

răspunde (răspund, am răspuns, voi răspunde) vb. — *to reply*

răspuns (răspunsuri) s.n. — *answer*

rău (rea, răi, rele) adj. — *bad*

rece (reci) adj. — *cold*

rechizite s.f. — *writing materials*

refuza (refuz, am refuzat, voi refuza) vb. — *to refuse*

repede (repezi) adj. — *quick, rapid*

(vine repede adv. — *he comes quickly*)

repetare s.f. — *revision*

reprezenta vb. — (reprezintă, a reprezentat, va reprezenta) — *to represent*

republică (republici) s.f. — *republic*

restaurant (restaurante) s.n. — *restaurant*

revedere (revederi) s.f. — *seeing again*

(la revedere — *good bye*)

revistă (reviste) s.f. — *magazine, review*

reține (rețin, am reținut, voi reține) vb. — *to retain*

rezista (rezist, am rezistat, voi rezista) vb. — to resist, to stand

ridica (ridic, am ridicat, voi ridica) vb. — to lift, to raise

ridiche (ridichi) s.f. — radish

rîde (rîd, am rîs, voi rîde) vb. — to laugh

rînd (rînduri) s.n. — row, line

rîndunică (rîndunele) s.f. — swallow

rîs s.m. — laugh

rîu (rîuri) s.n. — river

roată (roate) — s.f. — wheel

rochie (rochii) s.f. — dress

român (română, români, române) adj. — Romanian

român (români) s.n. — Romanian (man)

româncă (românce) s.f. — Romanian (woman)

românesc (românească, românești) adj. — Romanian

românește, adv. — like a Romanian

roșie (roșii) s.f. — tomato

roșu (roșie, roșii) adj. — red

rotund (rotundă, rotunzi, rotunde) adj. — round

ruga (rog, am rugat, voi ruga) vb. — to ask, to beg, to pray

| S |

sa adj. — his, her

sacoșă s.f. — bag, marketing bag

salam s.n. — salami

salată (salate) s.f. — salad

(salată verde — green salad)

sală (săli) s.f. — hall

(sală de gimnastică — gymnasium)

salut (saluturi) s.n. — greeting

saluta (salut, am salutat, voi saluta) vb. — to greet, to welcome

sare s.f. — salt

sarma (sarmale) s.f. — forcemeat roll of cabbage

sat (sate) s.n. — village

sau conj. — or

să conj. — that

(ca să — so that, to)

sănătate s.f. — health

sănătos (sănătoasă, sănătoși, sănătoase) adj. — healthy

săptămînă (săptămîni) s.f. — week

săpun (săpunuri) s.n. — soap

(săpun de ras — shaving soap)

sărbătoare (sărbători) s.f. — feast, holiday

sărbători (sărbătoresc, am sărbătorit, voi sărbători) vb. — to celebrate

sări (sar, am sărit, voi sări) vb. — to jump

său adj. — her, his

scară (scări) s.f. — ladder, staircase

scaun (scaune) s.n. — chair

scoate (scot, am scos, voi scoate) vb. — to take out

scrie (scriu, am scris, voi scrie) vb. — to write

scrisoare (scrisori) s.f. — letter

scump (scumpă, scumpi, scumpe) adj. — dear, expensive

scurt (scurtă, scurți, scurte) adj. — short

seară (seri) s.f. — evening

(astă-seară adv. — tonight)

secera (secer, am secerat, voi secera) vb. — to reap

seceră (seceri) s.f. — sickle

secvență (secvențe) s.f. — sequence

semn (semne) s.n. — sign

septembrie s.m. — September

serios (serioasă, serioși, serioase) adj. — earnest, serious

servi (servesc, am servit, voi servi) vb. — to serve, to bring in

sete s.f. — thirst

(mi-e sete — I am thirsty)

sfert (sferturi) s.n. — quarter

sfîrși (sfîrșesc, am sfîrșit, voi sfîrși) vb. — to end, to finish

sfîrșit (sfîrșituri) s.n. — end

(la sfîrșit — at the end)

(în sfîrșit — at last)

sigur (sigură, siguri, sigure) adj. — sure

silabă (silabe) s.f. — *syllable*
simplu (simplă, simpli, simple) adj. — *simple*
simți (simț, am simțit, voi simți) vb. — *to feel*
singur (singură, singuri, singure) adj. — *alone*
singular adj. — *singular*
sîmbătă s.f. — *Saturday*
slănină s.f. — *bacon*
soare s.m. — *sun*
socoti (socotesc, am socotit, voi socoti) vb. —
    to sum up, to calculate; to reckon
solniță (solnițe) s.f. — *salt cellar*
somn s.m. — *sleep*
sonerie (sonerii) s.f. — *(electric) bell*
soră (surori) s.f. — *sister*
sosi (sosesc, am sosit, voi sosi), vb. — *to come,
    to arrive*
soț s.m. — *husband*
soți s.m. — *man and wife*
soție s.f. — *wife*
sparge (sparg, am spart, voi sparge) vb. — *to
    break*
spăla (mă spăl, m-am spălat, mă voi spăla)
    vb. — *to wash*
specific adj. — *specific*
spre prep. — *to, towards*
spune (spun, am spus, voi spune) vb. — *to
    tell, to say*
sta (stau, am stat, voi sta) vb. — *to stay, to
    sit, to live*
(a sta de vorbă — *to talk*)
(a sta jos — *to sit down*)
(a sta în picioare — *to stand*)
(a sta la masă — *to have lunch, dinner, etc.*)
stație (stații) s.f. — *(tram, bus) stop*
stea (stele) s.f. — *star*
steag (steaguri) s.n. — *flag*
sticlă (sticle) s.f. — *bottle*
stilou (stilouri) s.n. — *fountainpen*
stinge (sting, am stins, voi stinge) vb. — *to
    put out*
stîng (stîngă, stîngi) adj. — *left*
(la stînga — *to the left*)

stofă (stofe) s.f. — *cloth, stuff*
stradă (străzi) s.f. — *street*
străin (străină, străini, străine) adj. — *foreigner*
străinătate (străinătăți) s.f. — *abroad*
străluci (strălucește, a strălucit, va străluci)
    vb. — *to shine*
strălucitor (strălucitoare) adj. — *brilliant, splen-
    did*
strîmt (strîmtă, strîmți, strîmte) adj. — *tight,
    narrow*
strugure (struguri) s.m. — *grape*
student (studenți) s.m. — *student, undergraduate*
studentă (studente) s.f. — *student, undergra-
    duate* (fem.)
sub prep. — *under*
subliniat (subliniată, suliniați, subliniate) adj.—
    underlined
substantiv (substantive) s.n. — *noun*
subțire (subțiri) adj. — *thin*
suc (sucuri) s.n. — *juice*
succes (succese) s.n. — *success*
sud s.n. — *south*
sufragerie (sufragerii) s.f. — *dining-room*
suna (sună, a sunat, va suna) vb. — *to ring,
    to sound*
sunet (sunete) s.n. — *sound*
supă (supe) s.f. — *soup*
sus adv. — *up*
sută (sute) num. — *hundred*

Ș

șaisprezece num. — *sixteen*
șantier (șantiere) s.n. — *construction-site*
șapte num. — *seven*
șaptesprezece num. — *seventeen*
șaptezeci num. — *seventy*
șase num. — *six*
șes (șesuri) s.n. — *flat land, plain*
școală (școli) s.f. — *school*
școlar (școlari) s.f. — *pupil*
șervet (șervete) s.n. — *napkin*
și conj. — *and*

şir (şiruri) s.n. — *row*
şofer (şoferi) s.m. —*driver*
şti (ştiu, am ştiut, voi şti) vb. — *to know*
şterge (şterg, am şters, voi şterge) vb. — *to wipe, to clean*
(a şterge tabla — *to clean the blackboard*)
(a şterge cu guma — *to rub out*)
(a şterge de praf — *to dust*)
şuncă (şunci) s.f. — *ham*

T

tablă (table) s.f. — *blackboard*
tablou (tablouri) s.n. — *picture, painting*
tacîm (tacîmuri) s.n. — *fork, knife, spoon*
tată (taţi) s.m. — *father*
tavan (tavane) s.n. — *ceiling*
taxi (taxiuri) s.n. — *cab*
tăia (tai, am tăiat, voi tăia) vb. — *to cut*
tău — *your*
teatru (teatre) s.n. — *theatre*
tehnician (tehnicieni) s.m. — *technician*
tei s.m. — *lime*
telefon (telefoane) s.n. — *telephone*
(a da telefon — *to call on the telephone, to ring up*)
telefona (telefonez, am telefonat, voi telefona) vb. — *to telephone, to call up*
telegramă (telegrame) s.f. — *telegram*
televizor (televizoare) s.n. — *TV set*
tentaţie (tentaţii) s.f. — *temptation*
tenis s.n. — *tennis*
timbru (timbre) s.n. — *stamp*
tîmplărie (tîmplării) s.f. — *joinery*
timp (timpuri) s.n. — *time*
titlu (titluri) s.n. — *title*
tînăr (tineri) s.m. — *youth (man)*; adj. — *young*
tînără (tinere) s.f. — *young girl (woman)*
tîrziu, adv. — *late*
toaletă (toalete) s.f. — *toilet, dressing-table, lavatory*
toamnă (toamne) s.f. — *autumn*

topi (se topeşte, s-a topit, se va topi) vb. — *to melt*
tort (torturi) s.n. — *cake, anniversary cake*
tot (toată, toţi, toate) — *all*
(cu toţii — *all of..., together*)
totdeauna adv. — *always*
traducere (traduceri) s.f. — *translation*
trandafir (trandafiri) s.m. — *rose*
tramvai (tramvaie) s.n. — *tram*
trebuie vb. — *must*
trece vb. (trec, am trecut, voi trece)— *to pass*
trei num. — *three*
treisprezece num. — *thirteen*
treizeci num. — *thirty*
tren (trenuri) s.n. — *train*
trezi (se) (mă trezesc, m-am trezit, mă voi trezi) vb. — *to awake*
tricou (tricouri) s.n. — *jumper*
troleibuz (troleibuze) s.n. — *troleybus*
tu pron. — *you*

Ţ

ţap (ţapi) s.m. — *he-goat*
ţară (ţări) s f. — *country*
ţesătură (ţesături) s.f. — *woven material*
ţigară (ţigări) s.f. — *cigarette*
ţine vb. — *to keep*

U

ud (udă, uzi, ude), adj. — *wet*
uita (uit, am uitat, voi uita) vb. — *to forget*
uita (mă uit, m-am uitat, mă voi uita) vb. — *to look*
uite! — *look!*
ultim (ultima, ultimi, ultime) adj. — *the last*
umăr (umeri) s.m. — *shoulder*
umbră (umbre) s.f. — *shade*
umbrelă (umbrele) s.f. — *umbrella*
un art — *a, an*
unchi s.m. — *uncle*
unde adv. — *where*

universitate (univerităţi) s.f. — *university*

unsprezece num. — *eleven*

unu, una num. — *one, a, an*

unul (una, unii, unele) pr. — *one, a, an*

unt s.n. — *butter*

untdelemn s.n. — *comestible oil*

ura (urez, am urat, voi ura) vb. — *to wish*

urca (mă urc, m-am urcat, mă voi urca) vb. — *to climb, to go up*

ureche (urechi) s.f. — *ear*

urît (urîtă, urîţi, urîte) adj. — *ugly*

urma (urmez, am urmat, voi urma) vb. — *to follow*

următor (următoare, următori) adj. — *following*

urmă (ceasul rămîne în urmă) — *the watch is late*

urs (urşi) s.m. — *bear*

ursuleţ s.m. — *little-bear, toy bear, teddy bear*

usturoi s.m. — *garlic*

uşă (uşi) s.f. — *gate, door*

uzină (uzini) s.f. — *works*

V

vacanţă (vacanţe) s.f. — *holidays*

vacă (vaci) s.f. — *cow*

(friptură de vacă — *roast beef*)

vagon (vagoane) s.n. — *carriage*

valiză (valize) s.f. — *suitcase*

vamă (vămi) s.f. — *custom house*

vapor (vapoare) s.n. — *steam boat*

vaporaş — *small steam boat*

vară (vere) s.f. — *cousin*

vară (veri) s.f. — *summer*

varză (verze) s.f. — *cabbage*

vază (vaze) s.n. — *vase*

văr (veri) s.m. — *cousin*

vechi (veche) adj. — *old*

vedea (văd, am văzut, voi vedea) vb. — *to see*

veni (vin, am venit, voi veni) vb. — *to come*

verb (verbe) s.n. — *verb*

verde (verzi) adj. — *green*

verdeaţă (verdeţuri) s.f. — *verdure, greens*

verişoară (verişoare) s.f. — *cousin*

verişor (verişori) s.m. — *cousin*

vesel (veselă, veseli, vesele) adj. — *gay, merry*

vest s.m. — *west*

veste (veşti) s.f. — *news, tidings*

vestibul s.n. — *entrance hall*

veveriţă (veveriţe) s.f. — *squirrel*

viaţă (vieţi) s.f. — *life*

viaduct (viaducte) s.n. — *viaduct*

vin (vinuri) s.n. — *wine*

vinde (vînd, am vîndut, voi vinde) vb. — *to sell*

vineri s.f. — *Friday*

vioară (viori) s.f. — *violin*

violet adj. — *violet*

violetă (violete) s.f. — *sweet violet*

vitrină (vitrine) s.f. — *shop window*

viţel (viţei) s.m. — *calf*

viziona (vizionez, am vizionat, voi viziona) vb. — *to see, to watch*

vizita (vizitez, am vizitat, voi vizita) vb. — *to visit*

vizită (vizite) s.f. — *visit, call*

vîna (vînez, am vînat, voi vîna) vb. — *to hun*

vînător (vînători) s.m. — *hunter*

vînt (vînturi) s.n. — *wind*

vînătă (vinete) s.f. — *aubergine*

vînzătoare s.f. — *shop-assistant (woman)*

vînzător (vînzători) s.m. — *shop-assistant (man)*

vîrstă (vîrste) s.f. — *age*

vocabular (vocabulare) s.n. — *vocabulary*

vocală (vocale) s.f. — *vowel*

voce (voci) s.f. — *voice*

voi pr. pers. II. pl. — *you*

voi (voiesc, am voit, voi voi) vb. — *will, to wish, to want*

voios (voioasă, voioşi, voioase) adj. — *cheerful, jovial*

vorbă (vorbe) s.f. — *word*

vorbi (vorbesc, am vorbit, voi vorbi) vb. — *to speak*

vostru (voastră, voştri, voastre) pr. — *your*

vrea (vreau, am vrut, voi voi) vb. — *to want*

vreme s.f. — *time*; *weather*
vulpe (vulpi) s.f. — *she-fox*

Z

zahăr, s.n. — *sugar*
zare (zări) s.f. — *horizon. sky-line*
zăpadă (zăpezi) s.f. — *snow*
zbura (zboară, a zburat, va zbura) vb. — *to fly*

zebră (zebre) s.f. — *zebra*
zece num. — *ten*
zeci num. — *tens of*
zero s.n. — *zero*
zgomot (zgomote) s.n. — *noise*
zi (zile) s.f. — *day*
ziar (ziare) s.n. — *newspaper*
zice (zic, am zis, voi zice) vb. — *to say, to tel*

Cuprinsul

Redactor: *Valentin Anghelache*
Tehnoredactor: *Elena Pavel*

Coli tipo 26,50

Tiparul executat sub comanda
nr. 1548
la Întreprinderea poligrafică
„13 Decembrie 1918".
str. Grigore Alexandrescu nr. 89—97
Bucureşti,
Republica Socialistă România